ちくま新書

世界哲学史1

——古代

伊藤邦武／山内志朗
Ito Kunitake　Yamauchi Shiro
中島隆博／納富信留　責任編集
Nakajima Takahiro　Notomi Noburu

1460

世界哲学史1——古代Ⅰ 知恵から愛知へ【目次】

第2章　古代西アジアにおける世界と魂　柴田大輔　047

序章　世界哲学史に向けて

納富信留

†「世界哲学」と「世界哲学史」

今、「世界哲学」が一つの大きなうねりとなっている。これまで西洋、つまりヨーロッパと北アメリカ中心に展開されてきた「哲学」という営みを根本から組み変え、より普遍的で多元的な哲学の営みを創出する運動、それが「世界哲学」と呼ばれる。私たちが活動する生活世界を対象とする哲学、多様な文化や伝統や言語の基盤に立つ哲学、そして、自然環境や生命や宇宙から人類のあり方を反省する哲学が、「世界哲学」の名のもとで遂行されようとしている。それは、「世界」という名を冠することで、世界に生きる私たちすべてに共有されるべき、本来の「哲学」を再生させる試みである。

世界哲学は、まずは地球上の諸地域の哲学営為に注目する。ヨーロッパと北アメリカだけでなく、中近東、ロシア、インド、中国、韓国、日本、さらに、東南アジアやアフリカやオセアニアやラテン・アメリカやネイティヴ・アメリカなどに目を配ることで、真に世界と呼びうる視野を目指す。だが、世界とは地理的領域の拡大にとどまらない。哲学は私たちが生きる場を「世界」と呼び、地球から宇宙という万物へ、現在から過去や未来へという対象の広がりも手に入れる。したがって、世界哲学とは、哲学において世界を問い、世界という視野から哲学そのものを問い直す試みなのである。そこでは、人類・地球といった大きな視野と時間の流れから、私たちの伝統と知の可能性を見ていくことになる。

日本の学界にとっても、世界哲学は大きな意味を持つ。明治以降に大学で整備された哲学という学問は、専門分野に分かれて個々別々に発展してきた。それぞれが専門学会をもちながらも、相互の交流や共同の研究を進める状況にはなかった。だが、それらの諸分野が世界哲学という試みに結集して、現代における哲学の可能性を論じることで、日本の学問が大きく変わるのではないかと期待される。

だが、新たな哲学はなにもない荒野から突然に生まれ出るものではない。私たちには長い歴史において培われてきた様々な哲学の伝統、その豊かな遺産がある。それらを総覧して新たな知の源泉とする努力によって、人類の叡智を結集させることができるはずである。それが世界哲学史の可能性であり、それが切り開く未来の哲学の可能性である。

それゆえ、「世界哲学史（A History of World Philosophy）」というまだ聞き慣れない呼称は、哲学史を個別の地域や時代や伝統から解放して「世界化」する試みであると同時に、いや、それ以上に、世界哲学を「歴史化」することで具体的に展開する私たち自身の試みである。本書から始まるちくま新書「世界哲学史」のシリーズは、こういった問題意識のもとで企画されている。

†「哲学史」への反省

これまで「哲学史」は、西洋で展開された種々の思想と思想家たちを扱うのが通例であった。つまり、古代ギリシア・ローマに始まり、キリスト教中世とルネサンスを経て、近代から現代までの二六〇〇年間にわたる、西ヨーロッパと北アメリカを範囲とする哲学である。そこから外れる思想の伝統は、中国思想史やインド思想史やイスラーム思想史といった形で独立に扱われ、西洋哲学史と等値される「哲学史」から区別されてきた。

ヘーゲルは『哲学史講義』で序論の末尾に「東洋哲学」という部分を付けた。そこで中国哲学とインド哲学をごく短いながらも紹介したのは、まがりなりにも西洋以外の伝統を顧慮する態度であった。だが、それも、本論であるギリシア哲学への前置きに過ぎず、東洋への言及も基本的には原始的な思考形態という偏見から抜け出ていなかった。ヘーゲルが打ち立てた哲学史は「西洋哲学史」として理解されていたのである。

では、西洋哲学から外れた地域と伝統は、西洋哲学との関係でどう見られてきたのか。キリスト教に先立つユダヤ教とムハンマド（マホメット）が七世紀に始めたイスラームでは、一神教というキリスト教との共通伝統において、西洋哲学と一定の関わりを持ってきた。両宗教が西洋哲学につねに寛容であったわけではないにしても、知的交流の歴史は長い。ユダヤ教哲学と西洋哲学との交わりでは、マイモニデス（スペイン、一一三五〜一二〇四）、スピノザ（オランダ、一六三二〜一六七七）、レヴィナス（リトアニア、フランス、一九〇六〜一九九五）を代表にあげることができる。

また、アラブ・イスラーム世界にはギリシア哲学が翻訳され、それを基盤にした独自の哲学が発展した。とりわけ、アリストテレス哲学を咀嚼して展開したアヴィセンナ（イブン・シーナー、ペルシア、九八〇〜一〇三七）とアヴェロエス（イブン・ルシュド、スペイン、一一二六〜一一九八）は、西欧ラテン世界に導入されることで、一三世紀から西洋哲学を推進する大きな力となった。これらのイスラーム哲学者が西洋哲学との関係で触れられることはあっても、哲学史の中で本格的に顧みられることは多くなかった。

また、同じキリスト教の圏内でも、ローマ帝国の分裂によってラテン語圏から分かれたギリシア語圏では、ビザンツ帝国から東欧やロシアに正教が布教され、新プラトン主義の影響が強い東方神学が形作られた。正教の伝統は、カトリックとプロテスタントが展開した西欧の哲学とは異なる要素を多く持つことから、西洋哲学から排除される傾向にある。ロシアのウラジーミル・ソロヴィヨフ(一八五三〜一九〇〇)を代表とする独自の思想伝統は、「東洋的、オリエンタル」と形容されることが多い。

新大陸が発見されて以来、スペイン・ポルトガルの植民地となったラテン・アメリカでは、カトリックと西洋哲学が教えられてきたが、西洋哲学史の枠内で扱われることはない。北アメリカ英語圏が、西洋哲学の一部となり独自の哲学で大きな役割を担ったのとは対照的である。だが、ラテン・アメリカ諸国はフランス・ドイツの大陸哲学の影響を受けながら、それぞれの哲学を営んできた。とりわけ、二〇世紀前半にアルゼンチンを訪問したスペインの哲学者オルテガ・イ・ガセット(一八八三〜一九五五)の影響は大きい。その後、英米分析哲学が導入され、独自のラテン・アメリカ哲学が模索されている。

哲学とは縁遠いように見られてきたアフリカについても、古代以来の伝統の再発見や、現代のアフリカ哲学がさかんに論じられている。フランツ・ファノン(一九二五〜一九六一)を代表とする反植民地主義や反アパルトヘイト思想など、多様な可能性が注目されている。

アジアに目を向けても、中国やインドを除けば、韓国や日本への注目はまだ大きいとは言えず、それ以外の地域、例えば、東南アジアやモンゴルや中央アジアが考慮されることはほとんどなかった。しかし、漢字を共有する文化、また、仏教、儒教、道教などの基盤に立つ東アジアの哲学が一体として扱われる意義は大きいはずである。

現在私たちが生きる世界は、西洋文明の枠を越え、多様な価値観や伝統が交錯しつつ一体をなす新たな段階を迎えている。哲学を世界化して多元的な思索の可能性を探るためには、これら多くの非西洋の哲学が重要な示唆を与えてくれるはずである。

哲学の多様性が認識される一方で、グローバル化の名の下に画一的な規準や価値観によって多様性や独自性が失われつつある状況も意識されなければならない。経済や政治の国際化だけでなく、英語によるコミュニケーションや情報管理、商業資本に乗る消費文化が世界を席巻している。哲学の世界でも、世界中の大学や教育・研究機関で「哲学」を共通の基本科目として教えているが、それは基本的に西洋哲学を指し、とりわけ現代英米の分析哲学が中核を占めている。それが唯一の、あるいは正統な哲学であるのか、世界哲学という視野から反省される。

このような哲学史への反省において、私たちが立つ日本という位置が重要である。西洋哲学を主に一九世紀半ばから導入した日本は、東アジアではいち早く西洋哲学を受容し、西田幾多郎（一八七〇〜一九四五）らが先導して独自の日本哲学を作り出した。他方で、古代から儒教、道教、仏教、神道といった東アジアの伝統を培ってきた背景があり、その多面性は「世界哲学史」を考え発信するポジションとして絶対である。世界哲学史の構築において、日本の視野が活かされる。

†世界哲学史の方法

では、世界哲学史はどのような方法で遂行されるのか。たんに様々な地域や時代や伝統ごとの思索を並べても、それは「阿呆の画廊」(ヘーゲル)の羅列展示に過ぎない。哲学史と呼ばれる以上、なんらかの仕方で一つの流れ、あるいはまとまりとして扱われ、哲学的意義を持たなければならない。

それでも、西洋哲学という歴史に限れば、古代から中世、近代、現代へと一つの大きな流れを描くことができる。だが、その限定を越えた時、哲学史は一見ばらばらの像になってしまうのではないか。多くの地域や伝統に目配りしたとしても、それらを並べただけでは世界哲学史にはならない。人類の哲学営為を全体として捉えようとする世界哲学史は、どんな方法を取るべきかの問いにおいて、それ自体がきわめてチャレンジングな哲学的課題なのである。

ここではまず、異なる伝統や思想を一つ一つ丁寧に見ていくことが基本となる。そして、それらに共通する問題意識や思考の枠組み、応答の提案などを取り出して比較しながら、歴史の文脈で検討することになる。従来の比較思想とやや異なる点があるとすると、二者か三者の間で行われる比較検討ではなく、最終的には世界という全体の文脈において比較し、共通性や独自性を確認していく仕方であろう。また、歴史という時系列に縛られなければ、思考構造を同じ土俵で共時的に比較することが可能かもしれない。井筒俊彦は『意識と本質』（一九八三年）で、あらたな「東洋」という哲学概念のもとで「共時的構造化」という方法を実践して、刺激的な考察を行っている。

さらに、それら多様な哲学が「世界哲学」という視野のもとで、どのような意味を担うのかを考察する。例えば、古代ギリシア哲学は、西洋哲学の起源としてだけでなく、それを超えた多様性や可能性を担っており、イスラームや近代日本といった他の諸哲学にとっても重要な意味を担っていた。また、世界哲学としての日本哲学という課題において、日本で展開された思想が、翻訳不可能なエクセントリックさにおいてではなく、独自であるがゆえに世界で評価される哲学として再発見されるはずである。「わび、さび、もののあはれ、いき」といった言葉は、世界哲学の文脈で初めて真に哲学的な概念に鍛えられる。

どの思想であれ、世界の人々の間で哲学として論じられるには、普遍性と合理性が必要となる。他方で、その「普遍（universal）」と「合理（rational）」という概念こそ、ギリシア哲学が生み出した遺産であるとの認識も必要である。世界哲学への挑戦は、私たちを改めて「哲学とは何か」の問いに晒すことになる。

†本シリーズの意図と構成

本シリーズ「世界哲学史」は、古代から現代までの世界哲学を全八巻で鳥瞰し、時代を特徴づける主題から、諸々の伝統を時代ごとに見ていく。それらの間には、中間地帯や相互影響、受容や伝統の形成があり、経済や科学や宗教との連携がある。それらの観点を加えることで、これまで顧みられなかった知のダイナミックな動きが再現される。世界で展開された哲学の伝統や活動を通時的に見る時、現在私たちがどこに立っているか、将来どうあるべきかへの重要なヒントが得られるはずである。人類の知の営みを新たな視野から再構築すること、それが「世界哲学史」の試みである。

「世界哲学史」シリーズの意図を、八巻全体の構成から示しておきたい。

本巻は哲学が成立した古代の最初期を扱う。「知恵から愛知へ」という副題のもと、人類が文明の始まりにおいて世界と魂をどう考えたのかを、紀元前二世紀まで、いくつかの地域から見ていく。文明が発生した古代オリエント、具体的にはエジプトとメソポタミアを見た上で、旧約聖書とユダヤ教に注目する。ヤスパースが「枢軸の時代」と呼んだ古代の中国とインドとギリシアという三者をそれぞれ検討する。とりわけ、西洋哲学の発祥の地とされる古代ギリシアは、時代ごとに四章に分けて検討する。最後に、アレクサンドロス大王の遠征によって直接の文化交流を生んだギリシアとインドの接点を、『ミリンダ王の問い』などから見ていく。

第2巻では、つづく前一世紀から後六世紀頃を時代範囲として、古代後期に哲学が世界化していく様を多角的に検討する。古代ギリシアで成立した哲学はローマ世界に入り、やがてキリスト教の普及と交錯しつつヨーロッパ世界の基礎を形作る。同時期に、インドでは大乗仏教が成立し、中国では儒教の伝統が確立した。インドから伝来した仏教は中国で儒教との論争を展開し、古代文明の地ペルシアではゾロアスター教が確立する。キリスト教はギリシア語世界での伝統がビザンツをへて東方へと広まり、西方のラテン語世界ではカトリックの中世哲学が成立した。

第3巻から中世に入り、九世紀から一二世紀を中心とした世界を扱う。古代ギリシア文明とキリスト教の広がりを受け、一方ではビザンツでの東方神学の成立を、他方では西方キリスト教世界での教父哲学、修道院の発展を検討する。西欧世界はこうして一二世紀に文化興隆を迎えることになる。七世紀にムハンマドが開いたイスラームでは正統と異端が分かれて、独自のイスラーム哲学が始まる。さらに、中国では仏教と道教と儒教が交錯する状況が生じ、インドで展開された形而上学が東アジアで論じられる。

第4巻は中世の末期にあたる一三世紀から一四世紀を扱う。スコラ哲学では、トマス・アクィナスやドゥンス・スコトゥスらが出て盛期を迎え、イスラームでもアヴィセンナやガザーリーら哲学者が活躍する。中世ユダヤ思想も重要な役割を果たす。西欧中世哲学は唯名論の登場を迎え、中国では朱子学が、日本では鎌倉仏教の諸派が成立する。

第5巻は中世から近世に移る一五世紀から一七世紀、バロックの時代を扱う。スペインではキリスト教神秘主義が興隆し、市民社会の経済倫理が重要な要素となる。ルネサンスはすべての刷新ではなく、スコラ哲学の近世的発展を含んでいた。イエズス会は中国や日本に進出して哲学交流を生み、いよいよデカルト、ホッブズらの西洋近代哲学を迎える。朝鮮思想と日本、明で展開された新しい哲学、具体的には朱子学と反朱子学などの東アジア哲学の諸相が描かれる。

第6巻は近代の哲学を各方面で論じる。イギリス、スコットランド、フランスの啓蒙思想、アメリカでの植民地独立の思想が論じられる。そして、一八世紀末にカントによる批判哲学が生まれる。同時代にはイスラームで啓蒙思想がくり広げられ、中国では清朝の哲学が、日本では江戸期の哲学が展開される。

第7巻では自由と歴史がテーマとなり、国家意識が芽生えて西洋近代批判が始まったドイツ、進化論と功利主義が生まれたイギリスなどが論じられる。アメリカでも新世界という意識のもとでプラグマティズムが誕生する。フランスのスピリチュアリスム、インドの近代哲学、そして開国した日本の近代哲学が扱われる。

最後に、第8巻では、グローバル化と呼ばれる現代の知のあり方が、多角的に検討される。分析哲学、大陸哲学という主流を見た後、ポストモダン、ジェンダー、批評といった現代の思想が論じられ、イスラーム、中国、日本など東アジアの現代が検討される。最後に、アフリカ哲学の可能性が紹介される。

こうして全八巻の構成で世界哲学史を総覧する本シリーズは、本邦初の本格的な試みとして、今後の哲学の可能性を示すことが期待される。世界に目を配ったと言っても、まだ西洋哲学が多くの比重を占めている点は否めない。だが、私たちに共通の基盤となっている西洋哲学を介して、それに対抗し、別の可能性を開く諸々の哲学を視野に収めることで、初めて世界哲学への可能性が開かれると考えている。世界哲学と世界哲学史の試みが今後どのような役割を果たすのか、本「世界哲学史」シリーズはその出発点となるはずである。

第1章　哲学の誕生をめぐって

納富信留

1　枢軸の時代

†人類の営みとしての哲学

人類が言語を語り、思考するようになって以来、なんらかの哲学の営みは始まっていたはずである。生きるとは、死ぬとはどういうことか。人生の意味はどこにあるのか。私自身とは、世界とは、愛とは何か。生きる上で向き合う問いと、それに答えようとする思索や議論は、人間が人間である限り、どの時代にも共通に行われていたに違いない。

だが、現在、それは体系化され「哲学」と呼ばれる営み、さらには大学や研究機関で研究され、教えられる学問の一分野になっている。哲学という学科は、実際には、ほとんどは西洋哲学と、その発展形である現代哲学を扱う。そして、学問としての哲学は、現在、ほとんどの人を寄せ付けないほど特殊で、難解な専門用語を駆使する学問と見なされている。だが、それは本来の哲学であるのか。あらためて、根源にもどって考えるべき時ではないか。

問題は二つある。第一に、「哲学」がなぜ西洋中心になってしまっているのか、非西洋に哲学は存在しなかったのか。第二に、「哲学」はなぜ人生や生活を離れて、高尚な学問になってしまったのか。この二つの問いに答えるために、私たちが忘れていた一つの可能性を見直し、追求する必要がある。それが「世界哲学」の試みである。哲学が人類に共通の営みとなるためには、西洋の伝統を超えた、真に多元的で普遍的な視野が必要である。また、狭い学問の領域にとどまらず、私たちが生きる現場を見据える思索が必要となっている。それを実現する一つの場が、この世界哲学という試みのはずである。

この二つの問題に答えるために考察すべきテーマがある。それは、世界哲学史の始まりがどうなっていたか、という古代哲学の成立への問いである。哲学はどのように誕生したのか。哲学の営みは初めから西洋、つまりヨーロッパにしかなかったのか、それとも、他の文明でも同様の哲学的な営為が始まっていたのか。もしそうだとしたら、それらはどのように、どんな理由で、その後は西洋哲学のような飛躍的な発展と世界化を果たさなかったのか。この問題を解く鍵は、まずは古代文明にあると予想される。

人類の起源がアフリカにあるとか、農耕が西アジアなどユーラシア大陸各地で始まったと言われるように、「哲学」と呼ばれる営みも特定の時代に特定の地域で始まったと考えられている。少なくとも、私たち人間が日々漠然と抱く疑問や思念、それを社会的に共有する神話や宗教儀礼といったものを超えて、宇宙を含む世界の全体と私たち自身のあり方に思いを致すことが「哲学」という形で成立したとすると、それはいくつかの地域で比較的短い期間に集中的に始まったと考えられている。中国黄河流域で活躍した諸子百家、ガンジス川とインダス川流域で興った古代インドの哲学、そして、ナイル川とチグリス・ユーフラテス川流域のオリエント文明を受けつつ古代ギリシア地域で発生したギリシア哲学である。それら三つの主要な起源は、それぞれアジアやヨーロッパで受け継がれて展開される哲学の起点をなし、人類の哲学として共通のあり方を示している。本巻が「哲学の誕生」を問うのは、そのような問題意識においてである。

†ヤスパースの「世界哲学」構想

現在私たちが学ぶ「哲学」が基本的に「西洋哲学」を指すことに、しばしば問題点が指摘され、違和感が表明されてきた。ヨーロッパの中で「世界哲学」の理念を打ち出した哲学者には、カール・ヤスパース（一八八三〜一九六九）がいる。ドイツの精神科医でもあったヤスパースは、ハイデルベルク大学で哲学を教えていた一九三〇年代に「世界哲学（Weltphilosophie）」を構想していた（ハンス・ザーナー『孤独と交わり――ヤスパースとハイデッガー』盛永審一郎・阪本恭子訳、晃洋書房、二七〜五五頁参照）。

この時代のドイツではナチスが台頭し、ドイツ民族の文化、アーリア人至上主義が宣伝されていた。世界が分断され、民族や文化の優劣が声高に叫ばれる時代に、あえて「世界哲学」を構想したヤスパースは、ナチスに反対して一九三七年に大学を追われる。

その時期の構想について、ヤスパースは一九五一年に書かれた論文「哲学への私の道」でこう振り返る。「私たちはヨーロッパ哲学のたそがれから、現代の薄明を通って、世界哲学の曙光へと通じる途上にある」（草薙正夫、林田新二他訳『哲学への道』以文社、二〇頁）。一九五七年の『哲学的自伝』でも同様に、「われわれはヨーロッパ哲学のたそがれから世界哲学のあけぼのへの途上にいるのだ」（重田英世訳、理想社、一五九頁）と述べられる。

近代科学・哲学が突き進んだ先に西洋文明の行き詰まりと終焉を見る見方は、一九世紀後半から二〇世紀にかけて盛んとなり、ドイツの歴史哲学者シュペングラーが第一次世界大戦中に執筆した『西洋の没落』（一九一八、一九二二年）は、大きな反響をひき起こした。ヤスパースは「たそがれ」と呼ぶその事態をペシミスティックに見るのではなく、むしろ新たな世界哲学の夜明けへの道として、積極的に捉えようとした。ヤスパースは世界哲学を「共通の空間」と見なしたが、それは、哲学を遂行する場が西洋だけでなくその外にある諸哲学にも開かれ、現代だけでなく古代までを視野に入れることを意味していた。

†「枢軸の時代」という提言

そのヤスパースが一九四九年に刊行した著書『歴史の起源と目標』（重田英世訳、理想社）で提言したのが、有名な「枢軸の時代」という理念である。紀元前五〇〇年を中心とする時代に、インドではウパニシャッド哲学が発生し、ジャイナ教や仏教が生まれて様々な哲学派が成立した。中国では孔子と老子を始めとする諸子百家の時代を迎えた。ペルシアではゾロアスターが、パレスチナではユダヤの預言者たちが、ギリシアではホメロスから哲学者や科学者たちまでが活躍した。大まかに前八〇〇年頃から前二〇〇年頃までに起こった三つの地域での知的変動は、単に偶然的な並行現象として片付けられるものではない。人間存在がつねにそこに還るべき根源として、いわば世界史の「軸」をなすのである。

枢軸の時代は、人類の文明の始まりではない。それ以前に数千年にわたってくり広げられた古代高度文明が、新たな精神によって終焉し乗り越えられたものである。この大きな変化こそ、哲学の誕生という謎を考える場面となる。

ヤスパースは言う。「この三つの世界が相互に出会うや、たちまち三者の間では奥底に至るまで相互に理解し合うことが可能である」（三二頁）。人類の相互理解と統一のために、普遍史としての世界哲学史が求められるはずである。

†ヤスパースの限界を超えて

枢軸の時代を提唱するヤスパースに対して、キリスト教や西洋文明を「歴史」と見なす側から大きな反発も向けられた。人類の歴史が、アダムの誕生から最後の審判に至る歴史である、あるいは、理性の自己展開の歴史であるとしたら、非西洋はそこから排除される、不十分で劣った思想に他ならないからである。

ヤスパースに対しては、また、枢軸の時代の強調にもかかわらず、その基底にはヨーロッパ中心主義が根強く残っているといった批判もある。実際、彼が論じる世界史が、中国やインド、さらには日本などを正当に考慮し、正確に理解していたとは言いきれない。ヤスパースもまた、古代ギリシアの哲学を尊崇する一人の西洋哲学者であり、その限界を十分には脱していなかったのかもしれない。

とりわけ、枢軸として取り上げられた中国とインドの伝統を継ぐ日本にある私たちは、ヤスパースが目指しながらも実現できなかった「世界哲学」の実践に関して、ヨーロッパ内部での限界にも敏感である。西洋哲学者たちが本当に異文化を理解し、評価できていたのかは、二〇世紀の文化人類学やポストモダンがあらためて問うた問題であるが、彼らの限界は理念上だけではなく、実際の経験や知見の限界でもあった。

だが、これらの批判にもかかわらず、ヤスパースが人類に共通するある出来事に注目し、そこに哲学の本源を捉えた意味は大きい。

枢軸時代に関して問題となっているのは、まさしくひとつの歴史的事実として現われた共通な出来事、すなわち、今日に至るまで妥当する、限界状況における人間存在の原則が突如として出現した事実（破開、ドゥルヒブルッフ）なのである。（『歴史の起源と目標』三五頁）

私たち自身がこの歴史的事実を了解し評価するなかで、「そこには魂の感動がある」（三六頁）という事態を共有するはずである。枢軸の時代を考えることは、単に歴史的事実を分析することではなく、「哲学とは何か」に、その誕生において出会うことであり、そこで「人間とは何か」に驚くことであろう。

2　始まりへの問い

†ギリシアという始まり

ヤスパースが「破開」という語で呼んだ歴史上の飛躍は、各文明の神話時代を終焉《しゅうえん》させた人類の経験を指す。それは「精神化」とも呼ばれる人間存在の全的変革であり、そこに「哲学者」が出現した。その過程は、けっして単線的に上昇する発展ではなく、「破壊と新生とが同時に進められた」時代とされる（『歴史の起源と目標』二八頁）。そこから、今日に至る哲学の歴史が始まったのである。私たちは、その転換、飛躍を見なければならない。

この転換は、現在でも「哲学の始まりは何か」の問いで問われている。とりわけ「哲学が始まった」と語られるギリシア哲学の研究において、この問いは避けて通れない。哲学が始まりを持つということ自体が、なにか奇妙な、倒錯した問いであるかに見えて、その実「哲学とは何か」へのもっとも直截な問いかけとなる。

西洋哲学を定義づける場合、すくなくとも一つの有力候補として、「古代ギリシアで始まり受け継がれてきた哲学」との答えが与えられる。アルフレッド・ノース・ホワイトヘッド（一八六一～一九四七）の有名な言葉、「ヨーロッパの哲学伝統の最も安全な一般的性格づけは、それがプラトンについての一連の脚注からなっているということである」（『過程と実在（上）』山本誠作訳、松籟社、六六頁）が表現するように、その後の西洋哲学はギリシア起源という枠内で展開されたのである。

無論、後世にヨーロッパで生まれた思想のすべてがギリシア哲学に内包されていたということはありえないし、様々な要素が混じりながら新たな思索が生み出されたことも間違いない。だが、西洋哲学がつねにギリシアを親やモデルとして、あるいは反面教師として、それを模倣的に、あるいは反発的に再現してきた歴史であることは確かなのである。

西洋哲学の始まりとしての古代ギリシア、そのギリシア哲学の始まりとは何かが、問われることになる。

†古代の哲学起源論争

古代ギリシアにおける「哲学の始まり」は第6章で本格的に検討されるが、この問いは古代においてすでに大きな論争の的であった。後三世紀前半の哲学史家ディオゲネス・ラエルティオスによる『ギリシア哲学者列伝』は、序章で哲学の始まりを検討することで、哲学者たちの系譜に大枠を提供する。

ディオゲネスは最初に、ある人々が語っているという「哲学が異国人（バルバロイ）から始まった」との説を取り上げる。ペルシア人の間ではマゴス僧が、バビロニア人やアッシリア人の間では占星術師であるカルダイオスが、インド人の間では裸の行者であるギュムノソフィステスが、ケルト人やゴート人の間ではドゥリュイデスやセムノテオスと呼ばれる祭司が候補とされた。その典拠として、アリストテレス著『マギコス』（不詳）とソティオン『哲学者たちの系譜』があげられる。また、エジプト人の間では、神官や予言者が哲学を指導していたとの主張もあると報告される。

しかし、このような哲学の異国起源説に対して、ディオゲネスは明確にギリシア人が起源であると論じる。

だが、彼らは哲学だけでなく、人間の種族が始まったのもギリシア人であることに気づかず、ギリシア人の成果を異民族に帰している。（『ギリシア哲学者列伝』第一巻第三節）

興味深いことに、ディオゲネスが言及する諸説は、ギリシア文明の以前や以外に起源を求めており、アテナイ人のムサイオスやリノスといった神話時代の人々も哲学の起源に数えていた。だが、ローマ時代に生きたディオゲネスにとって、すでにギリシア人中心の世界観が強力になっている。彼は、ギリシアを起源と見なす論拠を「哲学（フィロソフィア）」という名称の独自性に求めている。

哲学はギリシア人から始まったのであり、その名前自体も、異国語での呼称にはなっていないのである。（同、第一巻第四節）

「フィロソフィア」という名前がギリシア語の合成語であり、ギリシアで誕生して以降、ラテン語を始め諸言語で音写されて現代まで受け継がれてきたことは、周知の歴史的事実である。ディオゲネスは、エジプト人やマゴスらの哲学を概観した後で、ピュタゴラスが自らを初めて「哲学者（フィロソフォス）」と呼んだ逸話を導入して（第一巻第一二節）、哲学がギリシアで始まったと結論づける。

こうしてディオゲネスは、哲学の系譜をギリシア人から始める。その始点は、タレスの弟子アナクシマンドロスと、ペレキュデスの弟子ピュタゴラスの二人に置かれ、前者からイオニア派が、後者からイタリア派の哲学が辿られる。

だが、現在までのギリシア哲学史で「哲学の始まり」は、代表的なタレスだけでなく、その仲間のアナクシマンドロス、ピュタゴラス、パルメニデス、ソクラテスら、様々な哲学者に帰されており、さらにタレス以前の詩人たち、ホメロスやヘシオドスに遡る見方もある。その後の哲学史では、ギリシア哲学の内部で、「誰が最初の哲学者か」をめぐって争われることになったのである。

†「始まり」を問う哲学

では、古代ギリシアで哲学が始まったとは、どのような意味か。

「始まり」は、まず、時間的な過去にある。始まりは、なにかの事物がある、あるいはあったことに対して、その成立を時間的に遡及して説明する場合、そこに戻るべき点である。始まりがあり、そこからなんらかの動きが起こったがゆえに、その後の展開から現在までのあり方が形作られた。始まりとはそのような、現在から遡る終点、現にあるあり方を規定する始点、そして基盤なのである。

ギリシア語で「始まり」にあたる「アルケー」という語は、時間上の始点という意味に加えて、現在どうあるかの「原理」という意味を担う。「アルケー」の二義には、過去にあった原因が、現在のあり方の基底に残っているという見方が反映している。祖先の血が今も私に流れている、といった感覚である。

ギリシア哲学は、それ自体が西洋哲学の始まりと言われるだけでなく、「始まり・原理」を追求し、それにこだわり続けた特異な思考法の始まりでもある。ホメロスやヘシオドスら、哲学以前の詩人たちも世界の始まりを問題にした。しかし、その神話形式を脱して、ロゴスにおいて始まりを問うたのがギリシアの哲学者たちであった。始源を問い、始源に遡ることがなによりも重要と考える思考・態度は、とりわけ西洋の学問において顕著である。それは「独創性(originality)」や「原著者(author)」を重視する文化として、今日に受け継がれている。

始まりを問う思考法は、現在あるあり方に対して特定の、通常は一つないしは少数の源泉を想定して、そこから一つの系譜や発展として出来事の全体を捉えようとする。「哲学」と呼ばれる人類の営為は、そのようにして古代ギリシア哲学から始まる単線の発展として、さらにはキリスト教というもう一つの流れとの交わりのうちに形成されたものと見なされてきた。こうして「始まり」への特殊な問い方が、哲学において「非西洋」が排除される構図を作り上げていく。

では、私たちは「始まり」への問いを放棄すべきか。つまり、ギリシア的な哲学観を特殊で歪んだものとして棄却することが必要であり、それが哲学を世界に開放することにつながるのか。いや、人間が哲学に従事する以上、現にあるあり方から根源へと遡る「始まり」への問いは、依然として決定的に重要であるように思われる。この場合、偏狭な哲学観に陥らない、多元的で普遍的な「世界哲学」の起源論、つまり、真に哲学的な「始まりへの問い」が模索される。この点、古代の中国やインドなどでどのような哲学がくり広げられたのかを見ることが、何よりも参考になるはずである。

3 哲学への問い

†近代日本と「哲学」

西洋文明では「哲学（フィロソフィア）」は古代ギリシアで生まれたとされ、西洋哲学はつねにその起源へと立ち返ることで、アイデンティティを確保しようとしてきた。ローマ以来、ルネサンスでも古典主義でも現代でも、古代ギリシアに帰ることは、もっとも先鋭で正統な哲学の遂行を意味していた。また、二六〇〇年にわたって展開されてきた西洋哲学は、哲学の様々な概念、論理とものの考え方、さらに、論じられるべき問題の枠組みを設定することで、「哲学」とはどのような営みかを規定し、今日でもそれに依拠した哲学が大学や教育研究機関で従事されている。

しかし、西洋哲学と等値される「哲学」という理念は、その伝統から外れる他者に過重な負荷を強いてきた。それまで基本的に仏教や儒教といった中国やインドの東アジア文明圏にありつづけた日本は、一九世紀半ばに突如開国して西洋文明に向き合うことで、両文明の差異を衝撃として受け止めざるを得なかった。

幕末明治の啓蒙思想家である西周《にしあまね》（一八二九〜一八九七）が「フィロソフィー」という名の学問に出会った時、「理学」などの儒学系の語彙を避け、「（希）哲学」という新たな概念でそれを導入した経緯は有名である。それは、東洋の既成学問や宗教とは全く異なる思考伝統をそこに見た西の卓見と、新語を作らざるを得なかった葛藤の反映である。その後、この特殊な翻訳語が中国や韓国など東アジア漢字文化圏でも通用するようになるが、この点こそ、世界哲学を考究する鍵となる。

明治期から西洋哲学を積極的に導入してそれを咀嚼してきた近代日本では、中江兆民（一八四七〜一九〇一）が晩年、「我日本古より今に至る迄哲学なし」（『一年有半』一九〇一年）と述懐したように、西洋で発展した哲学が自らの内の伝統にはないという劣等感に苛まれた。それゆえ、西洋哲学を受容した基盤に立って、日本独自の伝統を思索に取り入れた西田幾多郎ら京都学派に至って、ようやく「哲学」という名に値する思想が生まれたとの見方が生じ、現在でもそのように見なされがちである。

明治以来の経験から、日本では今でも「哲学」とは西洋哲学を指すとの見方が根強い。それゆえ、儒教や仏教が伝来して以来の日本の様々な宗教思想、さらに歌論や能楽書や文学論など、江戸期に至る日本の伝統は、「思想」という語で呼ばれても「哲学」とは呼ぶべきでないという態度が広まった。西洋哲学の影響を受ける近代より以前の営為は、現在でも通常は「日本思想」と呼ばれ、「日本哲学」という呼称を使うことへのためらいは依然として大きい。

他方で、近年「日本哲学(Japanese Philosophy)」が海外、とりわけ欧米で盛んに議論されるようになり、空海や道元など近代以前の哲学者が積極的に評価されるにつれて、「日本哲学」の名称は定着し、日本の思想史全体に適用されるようになっている。日本哲学・思想をめぐるこのアンビバレントな状況は、「哲学とは何か」をめぐる西洋との対決の産物なのである。

†近代中国と「哲学」

常に「フィロソフィア」という原義に遡って「哲学」を理解する近代日本とは異なり、中国では一六世紀以来、マテオ・リッチ(利瑪竇、一五五二~一六一〇)らイエズス会士による西洋哲学の導入、逆に、ヨーロッパにおける中国哲学の紹介という、長期にわたる交流が経験されていた。実際、ヨーロッパではライプニッツ(一六四六~一七一六)らが中国哲学に興味をもち、その重要性が早くから認識されていたのである。

だが、その中国でも、西洋哲学と等値される「哲学」が、果たして自国の伝統に存在したのかをめぐって議論が起きていた。それまでは「斐録所費亜」「智学」などの語が当てられていた中国で、清末に日本から「哲学」という概念が導入されると、伝統思想との関係が改めて問題となった。西洋由来の「哲学」には、空言で非実用的、「民権自由平等」等の有害思想を含む、中国の伝統学問と相容れない、という三つの批判が加えられた。とりわけ、教育制度の中で、中国の伝統思想が西洋哲学の枠組みに吸収されてしまうことへの危惧が強かったのである。

日本で西洋哲学を学んだ梁啓超《りょうけいちょう》（一八七三～一九二九）は、一九二七年刊『儒家哲学』で、中国には哲学が存在せず、伝統思想は哲学には概括されえないとして、独立の道を勧めた。また、一九三四年に馮友蘭《ふうゆうらん》（一八九五～一九九〇）が『中国哲学史』を公刊した際、金岳霖《きんがくりん》（一八九五～一九八四）も「中国哲学」と「中国における哲学」の区別から問題を提起した。西洋哲学を基準に中国の伝統思想を扱う是非をめぐる葛藤は、日本と類似の問題を孕んでいた。当時の中国知識人には、哲学は古来から中国に存在したが自覚されていなかったという立場と、外来の学問である哲学を自己の問題として取り入れて「中国哲学」を樹立すべきとする立場があった（陳継東「清末における「哲学」の受容」、『中国 社会と文化』第一九号、二〇〇四年参照）。

さらに、二〇〇一年九月に上海を訪問していたジャック・デリダ（一九三〇～二〇〇四）が、「中国には哲学はない、あるのは思想だけである」と語ったことからこの問題が再燃し、「中国哲学の合法性」と呼ばれる論争が二〇〇四年春頃まで続いた。これは、一方で「中国哲学」という理念が可能かという問題提起となるため、その名で呼ばれる学問・学科の基盤を揺るがしかねない深刻な問題として受け取られたが、他方で、それは擬似問題に過ぎないと考える論者もいた。だが最終的には、西洋哲学と同義である狭義の「哲学」は中国にはないが、より広義に解する限り、西洋やインドと同様の哲学はあったという方向で、議論は落ち着いている。

中国や韓国では、一般に、日本ほどにはこだわりなく「中国哲学、韓国哲学」という名称を古来の伝統に用いているが、根本に横たわる問題は東アジアの哲学伝統に共通する。

†哲学の普遍性

日本や中国が抱える「哲学」への違和感を見てきたが、「世界哲学」として展開されるべき哲学は、本来特定の人種や民族や文化だけが与り、他の人々が排除されるべきものではない。古代ギリシアにおいて、哲学（フィロソフィア）は「知恵（ソフィア）を愛し求める（フィレオー）」という生き方として定義された。それは、真理を目指して知を求めながら生きる人間のあり方を指す以上、そこにはかならず普遍性が見て取られるはずである。「普遍性」とは、すべてにわたって、それ自体として成り立つという意味を持つ、アリストテレス哲学の概念である。哲学は、二種の普遍性に関わっている。第一に、哲学は、時代や文化や言語を問わず、人間が思考し生きる限り、普遍的に営まれる。第二に、哲学は、普遍性を対象や目標として持つ。つまり、哲学とは普遍性に関わる知的営みなのである。第一の意味においては、人類に普遍的である以上、哲学を持たない時代や文化は存在しないという見方になる。第二の意味においては、普遍性をテーマにしない哲学は存在しない、あるいは、そういったものがあれば、それは哲学ではないことになる。

だが、これらの条件が欠けた場合、深刻な理論的困難が生じる。第一の点に関しては、もし哲学に与らない時代や文化や民族があったとしたら、あるいは、与る程度に多少があるとしたら、哲学は人類に普遍的ではないことになる。

また、第二の点に関しては、歴史上で展開されてきた哲学的営為の多様性を考えると、それらが同じ普遍性を目標に据えてきたことに重大な疑問が向けられる。実際、絶対的な真理が存在することや普遍性を求めることに対する疑義や批判は、現代社会に浸透している。だが、普遍性を意識しない思考法があるとすると、それは「哲学」と呼ばれることはなく、哲学が人類に普遍的な営みであることが崩れる。二つの意味が重なって「哲学の普遍性」が成立するか、あるいは、二義のどちらも満たされずに不成立になるか、理論的にはそのどちらかなのである。

実際、ポストモダンや相対主義を特徴とする現代は、真理や絶対性や普遍性に批判を向けがちであり、それらを積極的に打ち出す態度は守旧派とされ、共通性の名のもとに個別性を排除したり、消去したりするのではないかと問題視される。ここで、あらためて「哲学」の意味と存立が問われることになる。

他方で、グローバル化した現代に、経済力・政治力・技術力・情報力を背景にした一元的な価値観が世界を覆っている。哲学についても、元来は多元的に展開されていた異文化の諸哲学が衰退し、英語による分析哲学が主流となって、単純な科学主義・自然主義が広まり、それに合わせる形での一元化・共通化が進んでいるようにも見える。哲学の普遍性が二つの意味で成立しているかのように見える現状は、かえって悪しき共通化や画一化への圧力や回収なのかもしれない。

†ディレンマを超える世界哲学

普遍性をめぐる困難を「西洋哲学」を焦点に再定式化すると、「哲学のディレンマ」とでも呼ぶべき問題となる。それは、「普遍性」という哲学の定義的内容と、西洋起源という歴史性との間に生じる矛盾である。ギリシア哲学に始まる西洋哲学と、日本や中国など非西洋との関係が、次のように問題化される。

ディレンマの一方の角は、近代以前の日本がそう扱われるように、非西洋的、非ギリシア的な思考が「哲学」の領域から排除されるとしたら、哲学そのものが普遍的に成立していないことになる。つまり、結局ギリシアの伝統とその後継者であるヨーロッパ、西洋哲学のみが「哲学」と見なされ、普遍性は哲学の特徴ではなくなる。

もう一方の角は、「普遍性」を哲学の本質と見なす点こそ、きわめて西洋的、つまりギリシア的な見方に過ぎないという立場である。他の文化や時代の思考がギリシア的な「普遍性」を共有しないとしたら、それがないという理由で非西洋的思考を排除するのは、西洋起源の哲学としては当然の成り行きである。だが、そのような特殊性こそ、まさに「普遍性」を欠いた思考だという結論になる。

この哲学のディレンマは、先ほど触れた「普遍性」の二つの意味の困難に対応するが、具体的に日本を非西洋として考慮することで、西洋哲学という理念そのものが崩壊する方向を示唆する。ディレンマのいずれの角においても、「普遍性」を掲げるギリシア起源の西洋哲学は、それ以外の思考法を「哲学」として受け入れる理由を持ち得ないことになる。それにより、西洋哲学そのものが「哲学」の定義に適合しないとの結論に至る。哲学の普遍性に基づく「世界哲学」を目指すために、私たちはこのディレンマから抜け出さなければならない。

だが、日本が近代に直面した西洋哲学としての「哲学」という問題意識は、根拠のないものではない。「哲学」の名のもとに遂行されてきた西洋での知的営みが、古代ギリシア以来の思考法と、そこから歴史的に培われた枠組みとに強力に制約されていることは確かであり、現在でもそれのみを「哲学」とする見方が欧米中心に強固に残っているからである。そのため、非西洋的な考え方に「非論理的、非哲学的」という評価が下されたり、逆に過剰な期待が寄せられたりする。「オリエンタリズム」の名で呼ばれる問題である（エドワード・サイード）。それゆえ、日本にあったのは「哲学」ではなく、「思想、宗教」に過ぎないとも言われてきたのである。西洋の「フィロソフィア」が基準となり、それに外れる思考を排除する傾向は、日本の哲学において今も根強く残っている。

私たちが「哲学の誕生」を検討する一つの目的は、一方で、そのようなギリシア起源を相対化しつつ、他方で、インドや中国といった並行する哲学伝統を同じ土俵で評価する基盤を確保することにある。それが「世界哲学史」の意義であり、私たち自身の哲学の可能性なのである。問われるのは、人類が自然に行ってきた思考や生き方を超えて、「哲学」と呼びうる新たな知的営為がいつ、どのように成立したかである。それが、排他的で一元的な歴史ではなく、多元的に開かれた普遍性において確保できるかが、世界哲学を遂行する私たちの課題なのである。

さらに詳しく知るための参考文献

中山剛史『ヤスパース　暗黙の倫理学――〈実存倫理〉から〈理性倫理〉へ』（晃洋書房、二〇一九年）……「世界哲学」の理念を論じたヤスパース哲学の本格的研究書。

ハンス＝ゲオルク・ガダマー『哲学の始まり――初期ギリシャ哲学講義』（箕浦恵了・國嶋貴美子訳、法政大学出版局、二〇〇七年）……初期ギリシアにおける哲学の始まりを問う、ドイツを代表する解釈学者の論考。

G・E・R・ロイド『古代の世界 現代の省察――ギリシアおよび中国の科学・文化への哲学的視座』(川田殖、金山弥平、金山万里子、和泉ちえ訳、岩波書店、二〇〇九年)……古代ギリシア哲学・科学史を専門とし、古代中国との比較研究を進めてきたケンブリッジ大学の碩学の論考。

西周『西周 現代語訳セレクション』(石井雅巳企画・構成、菅原光、相原耕作、島田英明訳、慶應義塾大学出版会、二〇一九年)……幕末・明治に書かれた近代日本哲学の原点にあたる論文が、読みやすい現代語訳であらためて検討に付される。

第2章

古代西アジアにおける世界と魂

柴田大輔

西アジアはユダヤ教・キリスト教・イスラーム教の故地として知られるが、それら「啓典の宗教」が成立するはるか以前の紀元前の時代、この地域に人類最古の文明が誕生した。そもそもアフリカ東部に誕生した人類は旧人も新人も西アジアを経由して地球上に拡散しており、その生活と社会の形態はこの西アジアで大きな革新を遂げた。そして、長い先史時代ののち、この地で人類は最古の文明を築いた。古代メソポタミアや古代エジプトなどに起こった文明である――正確に言えばエジプトは北東アフリカだが、慣例に従い便宜的に西アジアに含める――。本章は特に古代メソポタミアにフォーカスを当てながら、この古代西アジアの文明世界に展開した「世界と魂」をめぐる思想について紹介したい。

1 古代メソポタミア文明

†メソポタミアの環境

メソポタミアとはギリシア語で「(二つの) 川の間」を意味し、ユーフラテス川とティグリス川の流域を指す。両河川とも現在のトルコに水源を得たのち、シリアとイラクを経由してペルシア湾へと流れる。

自然環境に着目すれば、北東にタウルス・ザグロスの険しい山脈が控え、南西には荒涼としたシリア砂漠が広がる、その間に挟まれた地域である。そのうち、北部にはジャジーラのステップ地帯が広がるが、現在のバグダード近郊以南はティグリス・ユーフラテス川がもたらした土砂の堆積によってできた沖積平野である。さらに、かのサダム・フセインによって焼き払われるまでは、ペルシア湾へと続く河口近くに葦の生い茂る沼地のマーシュ地帯が広がっていた。

北部のステップ地帯を上メソポタミア、南部の沖積平野を下メソポタミアと呼ぶが、両者における生活と社会の形態は多分に異なる。何よりも、一定の降水量のある上メソポタミアでは雨に頼った天水農耕がある程度行われたが、下メソポタミアは降水量が極端に少ない一方で、

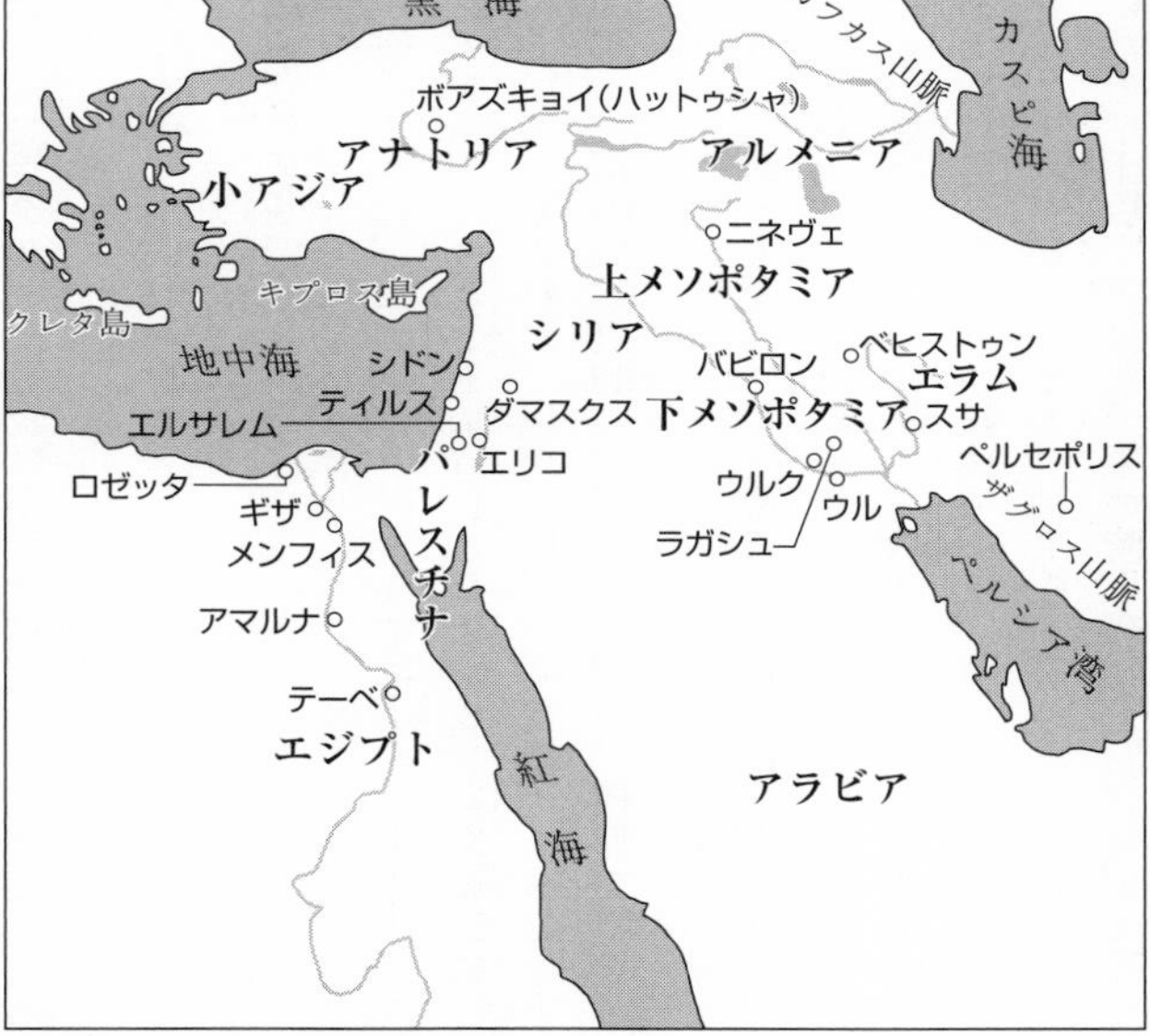

古代西アジア世界（紀元前3200～後100年頃）

沖積平野の極めて肥沃な土壌に恵まれたため、もっぱら灌漑農耕が行われた。人間の生活が難しい下メソポタミアは他の西アジア地域にはるか遅れること前六五〇〇～前六〇〇〇年頃になってようやく居住がはじまったが、組織化された共同体によって運営される灌漑農耕の生産力は爆発的であり、瞬く間に西アジアでも最大の人口を擁するようになった。その後、上メソポタミアにミッタニ（いわゆるミタンニ）やアッシリアのような巨大政権が成立した時でさえ、下メソポタミアが文化の中心地であり続けた。本章の紹介する思想は上メソポタミアにも受容されたが、その成立と発展の中心は下メソポタミアだった。これから見ていくように、「世界と魂」をめぐる思想は明らかに沖積平野とマーシュ地帯の風土を具体的な舞台としている。

†楔形文字文化

前四千年紀、この下メソポタミアにおいて都市の形成が急速に進展した。なかでも下メソポタミア南部にウルクという巨大都市が成立し、前三二〇〇年頃には楔形文字の原型がこの都市において発明された。以後、楔形文字は様々な言語を表記する文字システムとして発展し、紀元後一世紀頃に最終的に放棄されるまで、楔形文字はメソポタミアを中心とする古代西アジア世界において用いられ、当時の社会と文化を築く「基底」になった。古代メソポタミア文明の始まりと終わりをどこに定めるかは判断に迷う問題だが、近年はこの楔形文字の発明と放棄を起点と終点にすることが多い。

楔形文字は主として粘土を板状にした書板の粘土板に記された。羊皮紙や紙などとは異なり、粘土板は耐久性の強い媒体である。特に火に強く、図書館炎上という人類の歴史がたびたび経験した悲劇が起こっても、粘土板文書の場合はむしろ「焼き」が入ってより頑丈になった。このため粘土板文書は数千年の時を経ても腐食せずに残り、遺跡より多種多様な内容の文書が大量に発見されている。これが、古代メソポタミアの歴史、社会、文化、そして思想を解明する最も重要な情報源になっている。

古代メソポタミアは様々な言語が用いられたマルチリンガルな世界だった。本章で着目した い下メソポタミアについては、前三千年紀を通じてシュメル語(言語系統不明)とアッカド語(セム語の一種)が日常の言語としてバイリンガルに併用されていた。うちシュメル語は、日常のはなし言葉としては前二〇〇〇年頃までに放棄されたが、その後も学術や祭儀の文語として紀元前後の時代まで継承され、シュメル語で綴られた新しい作品も著された。両言語は言語系統において全く無関係だが、表裏一体の言語——当時の表現で「相対する言語」——とみなされた。シュメル語とアッカド語の文語バイリンガリズムが成立したのである。

楔形文字で記されたシュメル語とアッカド語の文書は日常の記録から王の碑文まで多岐にわたるが、その中には現代的な視点からすると宗教、文学、科学、呪術などと呼べる内容の著作の粘土板写本や副読本も多数含まれる。これらの文書が古代メソポタミアにおける思想史の主たる情報源になっている。著作は時代、地域、言語、エスニック・グループの壁を超えて継承され、前述の文語バイリンガリズムを柱にした一種の学知の伝統が形成された。本章が紹介する古代メソポタミアの「世界と魂」は「シュメル人」や「バビロニア人」に帰するものではなく、この学知の伝統における思想である。その社会的背景としてこの学知の伝統とその担い手たちについても少しふれたい。

†神々

古代メソポタミアにおける思想は神を祀る宗教伝統から切り離すことができない。世界の成り立ちや、人間の存在意義は専らこのような神々との関係において語られた。古代メソポタミアの言語にも「神」と訳せる一般名詞があり、シュメル語でディンギル、アッカド語でイルなどと言うが、その神観念は原則として多神教的だった。

都市には必ず神殿があり、そこにはエンリル、マルドゥク、イシュタルなどの固有の名前を持つ神人同形の神々が数多く祀られていた。日本の大きな神社や仏閣にも似ているが、神殿には多くの神々が祀られており、その中でも最も位の高い神が当該の神殿の主、その都市の守護神になった。

他方で神々は、戦争、知性、性愛、農耕などの社会・文化領域の管轄者、あるいは天体、嵐、水などのコスモロジカルな自然の構成要素の神格化としての性格も持っており、戦争と農耕の神、あるいは嵐の神などと言った役割を与えられた。例えば、シュメル語でウトゥ、アッカド語でシャマシュ（両者とも「太陽」の意）という名前の神は、その名の通り太陽の神格化だったが、同時に法や秩序——その中には占いも含まれる——を司る神々の裁判官であり、そして下メソポタミアの重要都市であるラルサ市とシッパル市の守護神でもあった。

2 世界

†世界創造の神話

学知の伝統を形成した著作には神話的な内容の物語作品も含まれ、その多くは世界の創造に関する冒頭の一節から始まる。創世に関する語りはどれも原初の神々の誕生に始まり、次世代の神々の誕生へと続く神統譜を中心にしている。具体的な内容は多様だが、原初が未分化の混沌とした状態とされたこと、その状態を構成する神格の性的な交わりによって続く神々が誕生したことは概ね共通している。

主な世界創造神話を紹介すると、まず前三千年紀中頃まで遡る天の父神と地の母神(シュメル語でそれぞれアンとキ)に関する諸伝承が知られる。様々な伝承が知られるが、まとめると、原初において天と地は分離しておらず、この天と地の性交により、次世代の神々が産まれた。さらに次世代の神——多くの伝承ではその中でも神々の王となるエンリルという神——によって天と地が上下に引き離され、世界が創造される。

ほか、前二千年紀末期頃に成立した大作『エヌマ・エリシュ』（以下に引用した冒頭の「上ではまだ天が……いなかった頃」の文言から取られた題）の冒頭部では、天と地ではなく二種類の水の交わりから神々が生まれている。

上ではまだ天が名づけられておらず、下ではまだ地が名を呼ばれていなかった頃、彼らの胤を宿させた最初の男親はアプスー（地下水、淡水）であり、創造者ティアマト（海、海水）が彼ら全てを産んだ母親で、彼らは彼らの水を一緒に混ぜ合わせたが、牧草地はまだ造られず、葦の茂みも探し出されていなかった頃、神々はまだ誰も顕れておらず、名も呼ばれず、定め（シームトゥ）も決められていなかった頃、その頃、神々は彼らの中で造られた。ラフムとラハムが顕され、名を呼ばれた。彼らが大きく育つまでに、アンシャルとキシャルが造られ、彼ら（ラフムとラハム）に優った。（W. G. Lambert, *Babylonian Creation Myths*, Eisenbrauns, 2013, 50, I 1-12）

ここでは男性の淡水アプスーと女性の海水ティアマトが「水を一緒に混ぜ合わせ」、次世代の神々が産まれる。この水の交わりという発想は、下メソポタミア南部に位置する前述のマーシュ地帯近辺の河川の状態によって想起されたと考えられる。ティグリス・ユーフラテス川は海へとすぐには流れ込まず、この近辺で合流し、さらに海へと続く沼地となった。まさに川の淡水と海の塩水がここで混ざり合っていた。『エヌマ・エリシュ』自体は下メソポタミアの中では北半分に位置するバビロンにおいて編纂されたが、下メソポタミア南部の湿地帯こそがメソポタミア文明の「故地」であったという文化的な記憶が継承されていたようだ。『エヌマ・エリシュ』の物語では、その後、年配の神々と若い神々の間に戦争が起こり、バビロンの若い守護神マルドゥクが原初の海の女神ティアマトを征伐して神々の王に即位する。この新しい王マルドゥクはティアマトを殺害したのち、その亡骸から世界の細部を創造する。

［マルドゥクはティアマトを］干し魚のように二つに割いてその半分を置き、天の覆いとした。彼は皮を剝いで、見張り番を配置し、彼女の水が流れ出ることのないよう、彼らに命じた。
(Lambert, *ibid.*, 94, IV 137-140)

ティアマトとは原初の海そのものである。この原初の海を魚の開きよろしく二つに割き、その半分を使って天空を作ったのだ。続きマルドゥクは、この天空のなかに天体を作り、さらに天体の動きによって明示される年と月を定めた。

彼は、偉大なる神々のために所在地を造った。星々による似姿たる星座を立てた。彼は年を割り当てて境界を定めた。一二の月にはそれぞれ三つの星を立てた。(Lambert, *ibid.*, 98, V 1–4)

彼は、［ティアマトの］腹の中に天の頂を置き、そこに月を顕させて夜を託した。［ひと月の間の］日を明示するため、［月に］「夜の宝石」を割り当てた。毎月休むことなく、彼は［月を］王冠によって讃えた。「月の初め、国土の上に光る際には、日の呼び声を明示するため、お前（月）は二つの角のように煌めく。七日には王冠が半分になり、毎月半ばの一五日には反対に立つように。」(Lambert, *ibid.*, 98, V 11–18)

つづきマルドゥクは、雨、風、雲といった天候も作り出し、さらには、ティアマトの亡骸の残り半分を使って大地も創造して、ティグリス・ユーフラテス川や遠方の山脈などを造った。この世界は全て原初の女神の亡骸から作られたのである。

なお、引用した『エヌマ・エリシュ』の冒頭部分は『旧約聖書』の「創世記」一章にある天地創造の記述と極めて類似していることでも知られる。共通性は用いられる語彙にまで及ぶことから、両者の間に何らかの実体的な受容関係があった（本書第3章参照）ことは疑いえない。

エルサレムを征服したバビロニア王ネブカドネザル二世（在位前六〇四～前五六二）はユダ人たちをバビロニアに捕囚したが、近年発見された楔形文字文書からも詳らかになったように、ユダ人たちはバビロニアにおいて通常の生活を送っていた。『旧約聖書』の「ダニエル書」一章四節には、ユダ王が同族のエリートを選定して「カルデア人の文字と言語を学ばせた」とするエピソードがあるが、このエピソードの通り、ユダ人の知識層は実際に当地で楔形文字とシュメル語・アッカド語を学んだと考えてよい。

『エヌマ・エリシュ』は前一千年紀中頃までのメソポタミアの神学において最も影響力のあった聖典であり、幅広く流布していた。ユダ人の知的エリートが『エヌマ・エリシュ』を学ぶ機会を得た可能性は高い。ただし「創世記」の天地創造が『エヌマ・エリシュ』の単なる複製ではないことも確かだ。『エヌマ・エリシュ』のテクストが素材として活用されつつも、根底から異なる革新的な思想がそこから生み出された。

†時間と歴史

マルドゥクがティアマトの亡骸を用いて天と地を創造したとする『エヌマ・エリシュ』における一節には、天体の設置も含まれている。そして、先に引用した一文に明示される通り、この神話において天体は時を刻む指標として創出されている。すなわち、マルドゥクは世界創造の一環として時間も確定したのだ。

この神話の通り、古代メソポタミアにおいて日・月・年は空に輝く天体の動きをもとに数えられた。のちのユダヤ・キリスト教の伝統同様、日没時が一日のはじまりになり、日没後の夜空において朔の後の新月が出現することによって月のはじまりが確定された。一月の期間は月齢によって定められ、二九日もしくは三〇日となった。夜空を見上げれば、輝く月の満ち欠けによって現在が一月の間のどの日なのかが可視化された。このように太陽と月によって視覚化される日と月とは異なり、年はやや複雑になる。季節の変遷とも連動した太陽年は、前三千年紀以来、夜明け前に地平線から昇る特定の恒星によって確認され、春分（時代と地域によっては秋分）の頃に一年のはじまりが求められた。ただし、月の満ち欠けをもとに一月を定めると、合計の一二カ月は太陽年に足りない。このため、概ね定期的に閏月を設けることによって暦の調整が行われた。

このように、夜空において規則的に繰り返す天体の動きにより、古代メソポタミアでは時が刻まれたが、時間は決して単なる循環としては表象されなかった。むしろ、時間――特に累積する年――は通時的に把握されていた。楔形文字文書から知られる各年の呼称は、全てそれぞれの時代・地域における王権によって定められたものであり、その呼称には王の治世年のほか、前年における大事件をもとに付けられた年の名前（年名）、毎年交代で特定の人物が就いた年男のような地位（アッカド語でリーム）が用いられた。どのシステムにおいても、過ぎ去った年は通時的な一覧表に記録され、それぞれの年における事件が備忘録的に付記されることもあった。そこから遂には、年代記的な歴史叙述が発展した。

先に紹介した神話における世界創造は、このような時間／歴史の始原として位置づけられた。一方、このような時間の行き着く先としての終末は、楽観的なものも悲観的なものも想定されなかったようだ。如上の通り、古代メソポタミアにおいて時間が通時的に把握されたことに間違いはないが、これは始原から特定の方向へと進む道筋としては考えられなかったようだ。むしろ、シュメル語とアッカド語における時間に関する定型的な表現は「後ろ向き」の時間／歴史観を示す。両語ともに、過去は文字通りには「前（面）」、「顔」という意の語彙で表され、未来は「後ろ」、「背面」という語彙によって表された。

†世界の秩序——名前と定め

先に引用した『エヌマ・エリシュ』冒頭部において、「名を呼ぶ」という表現が頻出していることに着目してほしい。第二世代の神々であるラフムとラハムの誕生は「顕される」、すなわち出現するだけではなく、「名を呼ばれる」、即ち名前を付けられると表現されている。さらに、「上ではまだ天が名づけられておらず、下ではまだ地が名を呼ばれていなかった頃」などと、事物がまだ創造されておらず、何も存在していない状態は「名を呼ばれていなかった」と言い表されている。ここには、事物はその名前を与えられることによって初めて存在するようになる、という理解が明示されている。『旧約聖書』の世界創造にも共通する考え方だ。例えば、直訳すると「あらゆるその名前」という意の名詞句ミンマ・シュムシュが「あらゆるもの・こと」を指す最も一般的な表現として用いられたように、一般名詞から固有名詞に至るまで、名前は事物の単なる呼称ではなく、事物の存在とは切り離せないもの、あるいは事物の存在そのものとみなされていた。

引用した『エヌマ・エリシュ』の冒頭句のように、このような意味での名付けと併記される創造の行為が、引用において「定め」と訳したシームトゥの決定である。シームトゥはアッカド語の語彙であり、複数形(シーマートゥ)で用いられることが多い。その意味は直訳すると「決定されたもの/こと」である。このシームトゥはシュメル語のナムに相当する。ナムの語源には諸説あるが、例えば「何である」の意のアナ・メに由来するなどと推測されている。また、抽象名詞を作る要素でもある——例えばナムの後に「王」を意味する語のルガルが続き、ナム・ルガル「王権」という語が作られる。以下、シームトゥの原意に近い「定め」という訳語を用いる。

この定めは、言ってみれば事物の「あり方」、「あるべき姿・形」である。天体の運行や山河の成り立ちから各動植物まで包括する自然現象、あるいは、国や都市、王の権能、個々人の生活や仕事のような社会・文化的な事象など、この世界のあらゆる事柄に定めが割り当てられており、それに則って運行・活動しているとされた。神話における「定めが決まっていない」状況はまさに世界創造以前の状態を指した。このような定めは神々によって決められ、その確定プロセスは、神々の議会における決定や裁判における判決として表象された。ただし、決める神々もまた定めから超越してはおらず、神々の存在そのものも定めに従うとされた。

このように、古代メソポタミアの世界観において定めは世界の運行を決める最も重要な因子だったが、宿命論としての性格は弱い。何よりも、古代メソポタミアの定めは変更可能であった。メソポタミアの学知の伝統では様々な占いの技法が発達したが、これは言うなれば神々によって決められた定めを明らかにする「学術」である。問題は、占いの結果が思わしくない場合、すなわち、神々が決めた定めが該当する人物や国家にとって望ましからぬ場合である。どうやら、確定された将来の不幸を甘んじて受け入れるほどの度量はなかったようだ。学知の伝統では、神々の決めた定めを覆す技法が開発された。シュメル語でナム・ブル・ビ（「それを解くこと」の意）と呼ばれた技法である。この技法の中心部分は、神々の裁判の判決に不服を申し立てる上訴の形式をとっており、多くの場合にそのような訴訟は神々の裁判官シャマシュに対して起こされた。不当な定めは、再審を起こすことによって撤回も可能だった。

†神々の意思と不可知論

この世界の事象の裏側にある神々の定めを解き明かそうとする研究と実践が行われた一方、そのような営為に対しては疑問も呈された。占いの有効性が疑われ、神々の意思はそもそも人間には知り得ないと不可知論的に論じられることもあった。例えば神々の王であるエンリルの讃美歌には、エンリルの「言葉」の不可知性を明言する次のような一節もある。

> 彼の言葉が占い師のところへ〔解釈に〕持って来られても、その占い師は嘘つきになる。彼の言葉が夢解師のところへ〔解釈に〕持って来られても、その夢解師は嘘つきになる。(中略)彼の言葉はビールの醸造壺のように閉じられており、その中身は誰にもわからない。
> (M. E. Cohen, *The Canonical Lamentations of Ancient Mesopotamia*, Capital Decisions Limited, 1988, 125f, ll. 35–41)

『旧約聖書』の中には、全能であるはずの神が作ったこの世界の不合理を問う「ヨブ記」などの知恵文学が含まれるが、楔形文字文献の中にも聖書の知恵文学と類似した——そしてまず間違いなく単なる類似ではなく受容関係にあった——文学作品が数点知られる。聖書の伝統とは異なり、古代メソポタミアにおいて神々は必ずしも無謬の善とはされなかったものの、この世界の不合理はメソポタミアの学知の伝統においても問題になった。そのようなメソポタミアの知恵文学においても、神々の意図は人間には知り得ないとする不可知論が中心的な主題の一つになった。ほか、作品の途中には占いや「呪術」的な技法の有効性に疑いがかけられる場面もある。占いや様々な「呪術」的な技法は古代メソポタミアの学知の伝統における主流だったが、そのような主流派の世界理解には一定の疑念も抱かれていた。

3　魂

†人間創造の神話

学知の伝統において継承されていた神話的な物語作品には人間の創造に関する一節も頻出する。多くの場合、重い賦役に苦しむ下級の神々の嘆願により、神々に代わって労働し、そして神々の衣食住を保証するために人間は創造されたと説かれている。人間の誕生の仕方にはいくつかの変種がある。例えば、「肉が育つ（場所）」と呼ばれる所に神々の王エンリル神が日干しレンガを作る型を設け、そこに最初の人間を置くと、大地を割って人類が誕生する、と言った神話（『つるはし讃歌』の一節）もある。日干しレンガは、当時最も一般的な建築素材だった。この神話はその作成に人類創造をなぞらえる。

しかし、最も多いパターンは、創造を司る年長の女神が粘土などを材料に人間を造ったとする神話である。神話によっては、材料となる粘土に神の血肉が混ぜられることもあった。例えば、太古の人類を襲った大洪水について語る神話『アトラ・ハシス叙事詩』である。アトラ・ハシスとは「知に秀でる」の意で、大洪水を生き延びた賢人の呼称だ――なお、『ギルガメシュ叙事詩』において永遠の生命を求めるギルガメシュが地の果てにおいて出会った人物でもある――。この神話は要するに増えすぎた人口を調整しようとする神々の（多分に身勝手な）試みをめぐる物語であり、大洪水はその究極の「解決方法」として引き起こされた。このような物語はそもそも人間が創造された経緯の叙述から始まる。話の骨子は多くの神話と同様に賦役に苦しむ下級の神々の不平だが、『アトラ・ハシス叙事詩』ではアウ・イラ（異本ではアラなど）という名の神をリーダーにして下級の神々が支配層の神々に叛乱を起こす。叛乱は鎮圧されてしまうが、事態を重くみた支配層の神々は、反乱軍リーダーのアウ・イラを処刑して、その血肉を混ぜた粘土から人間を作成した。この人間に賦役を課すことによって、下級の神々を労働から解放することにしたのだ。

アウ・イラ、知性（テーム）を持った者を［神々は］彼らの集会において殺した。［創造の女神］ニントゥは［アウ・イラの］肉体と血を粘土に混ぜ合わせた。将来彼らが鼓動を聞けるように、神の肉体から霊（エテンム）が残ったのだ。生者にその徴を知らせよう、霊は残ったことが忘却されないように。（W. G. Lambert and A. R. Millard, *Atra-ḫasīs: The Babylonian Story of the Flood*, Clarendon Press, 1969, 58, ll. 223–230）

この神話によれば、神々のために働く人間はただの粘土細工ではない。反逆した神の血肉が混ぜられることによって、この神の霊が人間に残った。心臓の鼓動はその証なのだ。なお、この一節は語彙の類似性を用いて神話に説得力を与える。人間を指すアッカド語の一般名詞はアウィールだが、神話は、アウ・イラという名の神のテーム「知性」からエテンム「霊」がアウィール「人間」に残ったと説明する。実際にはテームとエテンム、アウ・イラとアウィールは語源の異なる語彙だが、編纂した学識者はその類似した響きに隠された意味を探ろうとしたのだ。

†死と霊

後述する古代エジプトにおける霊魂と死をめぐる複雑な説明とは異なり、古代メソポタミアの思想はこの点において素朴な理解にとどまった。前節で「霊」と訳したアッカド語のエテンムは、他の脈絡では概ね人間の死後の姿を指しており、神話には死亡した神のエテンムも登場する。すなわち人間の「肉体」(アッカド語でズムル)は死ぬと「亡骸」(アッカド語でパグル)になったが、同時に死亡した人間はエテンムになった。前述の『アトラ・ハシス神話』の一節は殺害された神のエテンムが人間の生命力になったかのようにも解釈できるが、他の脈絡ではエテンムが生命(力)の意味合いを持つことはない——この点でギリシア語のプシュケー、あるいはエジプト語のバーやカーとは異なる。生命の方は、アッカド語のバラートゥ(シュメル語のティ・ラに相当)、あるいは文字通りには「息」を表すアッカド語のナピシュトゥ(シュメル語のジに相当)などの別な語彙で表された。すなわち、エテンムは単純に死霊あるいは亡霊を意味した。

死者の霊は冥界に向かうとされた。霊と冥界に関しては、数多くの神話や儀礼の文書が知られている。古代メソポタミアの冥界観に天国と地獄の区別はなく、霊はみな同じ冥界に旅立った。冥界は地下にあるとされ、時に「帰らずの国」(シュメル語でクルヌギ)という名で呼ばれたように、安易にこの世との行き来はできず、その入り口は強固な門で守られているとされた。冥界の様子を語る文書はそこを暗く乾いた、食料に乏しい世界として描いている。

死後の裁きはなく、霊たちを待ち受ける冥界での「暮らし」も、生前の善行や悪行とは全く関係なかった。むしろ死に方、そして何よりもその霊を供養する子孫の有無こそが、霊たちの暮らしを大きく左右した。例えば、英雄ギルガメシュに関する伝承の一つに、ギルガメシュの友人エンキドゥが冥界に忍び込み、何とかこの世に帰還する物語がある。この物語においてギルガメシュは帰還したエンキドゥに質問し、冥界における様々な霊たちの暮らしについて尋ねる。まとめれば、子供が多ければ多いほど、霊の暮らしぶりは良く、子供を残さなかった霊は男女ともに冷遇されていたと、エンキドゥは答える。ギルガメシュはさらに様々な死に方をした霊たちの行く末についても尋ねる。

「天寿を全うした者（文字通りには「その神（によって決められた）死をとげた者」）をお前は見たか。」「見ました。彼は神々の寝台に寝そべり、清い水を飲んでいました。」「戦で殺された者をお前は見たか。」「見ました。彼の父と彼の母が彼の思い出を顕彰し（文字通りには「彼の頭を持ち上げ」）、彼の妻が彼のために泣いていました。」「その亡骸が荒野に放置された者をお前は見たか。」「見ました。彼の霊は冥界において休まることがありませんでした。」「その霊が供養者を持たない者をお前は見たか。」「見ました。彼は器からこそぎ落とした残りや通りに投げ捨てられたパンのかけらを食べていました。」（A. R. George, *The Babylonian Gilgamesh Epic: Introduction, Critical Edition and Cuneiform Texts*, Oxford University Press, 2003, 734, ll. 146–

153)

これらの問答の中でも「供養者を持たない」霊に着目したい。これは子孫がおらず、誰も供養してくれない霊のことである。この問答によればそのような霊は飢えに苦しみ、わずかな食料を自ら探し求めなくてはならなかった。このような冥界における霊の生活に関する叙述は、古代メソポタミア世界において一般的な慣行であった祖先供養の必要性を語る神話だった。時代や地域、社会階層によって形態が多少異なるものの、古代メソポタミアにおいて人々は王族から庶民まで定期的に祖先を供養した。アッカド語でキスプと呼ばれたこの祖先供養の主な内容は飲食の提供であり、霊が冥界において安らかな生活を送れるかどうかは子孫による供養によって決まった。だからこそ、ギルガメシュとエンキドゥの問答でも、子沢山の霊ほど冥界では贅沢な暮らしを楽しむことができた。

十分な供養を得られない霊は時にこの世に「化けて出る」こともあった。生者を煩わせる霊を調伏する技法を記した文書が多数知られる。技法書は霊が祖霊（「家族の霊」）か彷徨《さまよ》える幽霊（「部外者の霊」）かで対処を大きく変える。当該の霊が祖霊と判断された場合には、これを丁重に供養するよう指導されたが、彷徨える幽霊の場合は神に嘆願するなどして追い払ってしまうよう指示された。さらに技法書の中には、祖霊を呼び出し、特別の供養を施したうえで、幽霊からの守護を祖霊に依頼せよ、と指示する文書もある。祖霊は子孫の供養をただ受けるだけではなく、その分、子孫のことも保護してくれたようだ。

4　学知の伝統と学識者

†古代メソポタミアにおける世界と魂の思想は誰のものか

以上簡潔に紹介した「世界と魂」に関する当時の記述は、初めに述べた通り、古代メソポタミアにおいて継承されていた著作に由来する。これらの著作は時代と地域を超えて伝承され、一種の学知の伝統が形成された。この伝統の担い手は、アッカド語でウンマーヌ(「学者」の意)などとも呼ばれた学識者である。古代メソポタミアの遺跡からは、これら学識者が書写した様々な著作の粘土板写本の集積も多数発見されており、ここから、本章において紹介した著作の文言が復元される。

世界や人間の創造に関する神話の根源は、民間において口頭で語られていた素朴な伝承に由来すると推測できる。ただし、粘土板写本から知られる著作がそのような伝承そのものではないことに注意しなくてはならない。素朴な伝承が材料として各所に用いられながらも、学識者によって壮大な物語がまさに作品として著され、さらに編纂と体系化が重ねられた。そこにみられる世界と魂に関する理解も、一定の論理的整合性を求めて洗練された。本章において紹介した思想は当時の学識者の言説に帰する。

†古代メソポタミアの学識者とその思想

では、そのような思想を担った学識者はどのような人々であり、その思想はいかなる脈絡において生成したのだろうか。学識者の残した様々な記録から、彼らの活動の様相や社会における地位が詳らかになっている。それによれば、学識者は王宮や神殿に勤務し、王宮においては国家の宗教政策などを提言すると共に王の碑文を作成し、神殿においては神学・祭儀伝統の継承を担った。また、学識者たちは都市や地域、さらには国の境界を超えて交流し、学識者のネットワークを形成していた。アッシリア王の顧問を代々輩出したガッビ・イラーニ・エーレシュ家などの学識者の名門一族も知られる。彼らは、単に受動的に著作を書写していただけではなく、著作の編纂、あるいは注釈書などの副読本の作成にも従事していた。古代メソポタミアにおける書記教育の課程は概ね初等教育と高等教育に二分できるが、実務的な文書の作成のみに携わった書記が初等教育のみを修了したのに対し、学識者を目指す若者はさらに高等教育も受けた。要するに彼らは最高峰の教育を受け、当時の知を先導していた「知識人」である。

学識者たちは著作の収集や書写、編集だけではなく、学知の実践にも従事していた。そこには、後にギリシアなどの地中海世界へと継承される天文学や数学の基礎になる天体観察から、今日的な視点からは「呪術」と呼びたくなる悪霊祓いや呪い返しの技法まで含まれる。実際のところ、今日の読者にも読み応えのある『ギルガメシュ叙事詩』などの文学作品は彼らの伝統においては周辺的であり、神々の讃美歌や占い、「呪術」的な技法こそが伝統の中核になった。これらの技法の多くは現在の苦難の解決や将来の不幸の回避など、実利的な目的を持っていた。

この技法の技術開発と革新を目指す過程で世界の成り立ちの解明が試みられ、もともとは生活の中で伝承されていたと推測できる素朴な世界観・人間観は徐々に洗練された。思想の体系化は、純粋に「学問的」な動機からだけではなく、その知識を活用して特定の国家の正統性を世界の成立の根底から論拠づける政治的な意図からも行われた。後にギリシアに継承された天文学や数学上の法則の発見もそういった試みの成果の中に含まれる。知恵文学的な作品については、技法開発の慢心に対する（自己）批判的な性質があるかもしれない。本章で紹介した世界と魂に関する思想は、このように当時の学識者が知を探究する試みの過程で成立した。

これらの学識者によって継承されていた著作の著者に関しては情報が少ない。個々の写本については概ねその作成者が奥付に記名されたが、作品の執筆は多くの場合に匿名である。確かに前七世紀のアッシュルバニパルの図書館からは、著作の「著者」を一覧にしたリストなども発見されており、そこには『ギルガメシュ叙事詩』の「著者」シン・レキ・ウニニなど、数百年前に実在した大学者の名前が「著者」としてあげられている。しかし、これらの「著者」が現代的な意味での著者なのか、あるいはむしろ編纂者と呼ぶべき役割を果たしたのか、意見は分かれる。さらに、学知の伝統の中核を占める讃美歌などに関しては、知識の神エア自らが「著者」として位置づけられていた。これらの著作は人の手によって執筆されたのではなく、エア自らに由来するとされた。

†学知の伝統の黄昏

アレクサンドロス大王による東征後のヘレニズム期になっても、バビロンやウルクのような古都では各都市の神殿共同体において学識者の活動が続いていた。前一千年紀末期にもなると神殿共同体の外部において楔形文字はもはや使われていなかったが、その状況にあっても神殿の学識者たちはシュメル語文献を含む多くの古い著作を書写し、日々天体を精密に観察しては、記録を楔形文字で粘土板上に記していた。これらヘレニズム期におけるメソポタミアの学識者はギリシア語文献においても「カルデア人」という名で言及されている。

紀元後一世紀までは年代の確定できる楔形文字文書が発見されているが、その後に彼らの共同体がたどった運命について明確に語る史料はない。古代メソポタミアの伝統は断絶してしまったようだ。ただし、ユダヤ教やギリシア語の文献などに古代メソポタミアの学識者の知的「遺産」を見出すことができる。その後の西アジアや東地中海世界においてメインストリームになる知の伝統を担っていた様々な人々が古代メソポタミアの学識者と知的交流を行っており、彼らの学知を修得していた可能性は十分に考えられる。

5 古代エジプトにおける世界と魂

†メソポタミアの外

以上簡単に紹介したメソポタミアの思想だけが古代西アジア世界の思想ではない。例えば、アナトリア（現在のトルコ）からは楔形文字で記されたフリ語やヒッタイト語の文書、イランからも同じく楔形文字で記されたエラム語の文書が発見されており、それぞれ独自の思想を生み出した当地の知的伝統について伝える。ただし、文書を表記する文字システムとして楔形文字が採用されたため、文字システムと一緒に下メソポタミアを中心に発展した知的伝統も輸入され、当地の伝統に多大な影響を与えた。一緒くたにはできないものの、楔形文字が用いられた文化圏では下メソポタミアの知的伝統がある程度共有されていたと言って良い。東アジアの漢字文化圏における中国思想のインパクトと比較できるかもしれない。

このような古代西アジア世界にあって全く独自の思想を築いたのが、ナイル川の流域に花開いた古代エジプト文明の伝統である。楔形文字の原型が発明されて間もない前四千年紀の末にエジプトでも別の文字系統であるエジプト文字が発明され、このエジプト文字による様々な文書がおよそ三〇〇〇年間にわたって作成され続けた。

†古代エジプトにおける世界秩序――マアト

これらの文書から明らかになる古代エジプトの思想はメソポタミアのそれとは大分異なる。古代エジプトには独自の神体系と世界観があったが、そのなかでも世界理解に関しては、摂理や秩序、さらには真実、規範などを包括する概念であるマアトが特筆に値する。マアトは正義や真実を体現した女神であり、頭上にダチョウの羽をつけた女性の姿で表現されたが、同時に、創世の瞬間に出現した世界の秩序という抽象的な概念でもある。メソポタミアのシームトゥにも似ているが、マアトは天体の運行などの世界のあらゆる活動、あるいは神々と人間の関係を秩序づけた。さらには人間が従うべき倫理的な規範にもなり、後述する死後の裁判における判断基準になった。このマアトの実現こそがエジプト王たるファラオの責務とされた。

†古代エジプトにおける魂——バーとカー

古代エジプト思想における人間の魂をめぐる理解も興味深い。古代メソポタミアにおける前述の素朴なエテンムなどとは異なり、古代エジプトではるかに複雑な理解が発展した。時代の変遷とともに変化したが、単純にまとめると、古代エジプトの理解において人間は肉体のほか、名前、影、そして翻訳の難しい概念であるバー、カーの合計五つの要素から成り立つとされた。バーは一人の人間における肉体以外の特徴を全て内包しており、あえて言えば「人格」に近い。一方のカーは生まれるときに現れる一種の生命力である。バーは人の頭と両腕を持つ鳥の形をした文字で表され、カーの方は両腕を曲げて直立させた形をした文字で表される。後述するようにバーは飛び回るために鳥の形をしており、カーは生命力の源であるから力こぶのある両腕の形をしたと考えられる。なお、バーは古代末期においてギリシア語でプシュケーと訳された。この訳はバーの一面しか表していないが、バーがプシュケーと訳された事実は思想の継承にとって意義深い。

これら人間の構成要素は、死をめぐる問題において極めて重要な役割を果たした。まず、人間の死は生命力たるカーが肉体から離れることによって起こるとされた。ただし、カーは肉体の死後も生き続け、カーを維持するためには生前と同様の食物が必要だった。またカーの宿る場所としての肉体も必要であったため、亡骸はミイラ化されて保存された。肉体の死後にはバーの方も存続した。人の死後、そのバーは日中には世をさまよい、夜になると墓に戻って死者のミイラ化した肉体と合体して、肉体を存続させた。

また、死者は来世において復活することが望まれ、この来世における姿はアクと呼ばれた。死者がアクになるためには、そのカーと肉体が墓から来世に旅立たねばならなかったが、死者の肉体にはそれができなかったため、代わりにバーが旅立った。もし、このバーとカーが無事に合体できると、死者はアクとなって永遠に居続けた。ただしアクとなるためには、冥界を司る神オシリスならびにエジプト全州の四二柱の神々の前で死後の裁判を受けなければならなかった。死者は現生においていかなる罪も犯さなかったことの告白、「罪の否定告白」を行い、さらに秤でその心臓の重さを前述のマアト——女神マアトの姿、あるいはその一部であるダチョウの羽の形をしていた——と測り比べなくてはならなかった。もし心臓とマアトが釣り合えば、罪を犯していない証明となり、神々の書記官トト神がそれを神々に報告した。それによって神々は死者の無罪を認め、死者は無事にアクとなることができた。この死後の裁判がエジプトにおける倫理観の根源にもなった。

※本文中に引用したシュメル語とアッカド語の文書はすべて筆者による原文からの試訳。［　］は

原文にない語句を補ったことを示す（破損箇所の補いではないことに注意）。また、（　）は原語や説明のための言い換えを示す。

さらに詳しく知るための参考文献

月本昭男『古代メソポタミアの神話と儀礼』（岩波書店、二〇一〇年）……古代メソポタミアの宗教文化に関する良質な論考。

ジャン・ボテロ『メソポタミア――文字・理性・神々』（松島英子訳、法政大学出版局、二〇〇九年〔原著一九八七年〕）……著者は二〇世紀後半に活躍した重要な楔形文字学者の一人。本書は古代メソポタミアの文化史・思想史に関する課題を体系的に論述する優れた入門書であり、翻訳も秀逸。ただし、著者のキリスト教・西欧中心主義的な視点が過度に投影されている難点もある。

ヤロスラフ・チェルニー『エジプトの神々』（吉成薫・吉成美登里訳、六興出版、一九八八年〔原著一九五二年〕）……古代エジプト宗教史の基礎的な入門書。やや古いが今もスタンダードな書籍に数えられる。

ロザリー・デイヴィッド『古代エジプト人――その神々と生活』（近藤二郎訳、筑摩書房、一九八六年〔原著一九八二年〕）……同じく古代エジプト宗教史に関する優れた入門書。

コラム1　人新世の哲学

篠原雅武

人新世は、人間活動が地球に及ぼす影響が自然の諸力に匹敵するほどにまで高まり、地球的条件そのものを変えてしまう時代のことを意味している。二酸化炭素の排出、高速道路やダム建設、海の埋め立てなどによる人工物の蓄積は、完新世という温和で安定的な時代を終わらせ、温暖化、異常気象、干ばつ、海面上昇を引き起こしている。ゆえに人新世は、地球が人間によってつくりかえられていくというだけでなく、改変された地球が人間存在の条件を揺さぶるようになった状況と考えることができるだろう。これは、「人間」や「世界」など、人間がみずからの思考と思考の前提としてきた基本設定そのものを根本的に揺るがす事態である。言葉や行為を意味あるものにする条件と考えられてきた超越論的な場そのものが不安定になるだけでなく、人間の意識や言語から遠のいて、不明瞭になる。この定まらなさと不明瞭さをどう考えるかが、哲学の重要課題となる。

人新世の学説は、自然科学において提起されたが、哲学でも盛んに論じられていく。決定的だったのが、二〇〇九年に発表されたディペシュ・チャクラバルティの論文「歴史の気候（The Climate of History）」である。これが提起するのは、時空にかかわる設定であり、その問い直しである。すなわち一方で、エコロジカルな危機は、人類そのものが今後も生存しうるのかどうかにかかわる不安を生じさせている。過去から現在へ、そして未来へとつづく時間的持続の感覚が薄れていく。

さらに他方では、完新世の終わりは、地質学的時間のなかで人間もまた生きていることへの自覚を促すことになる。人間的尺度を離れたところに存在する時空間（深層的時空間）にとりまかれ支えられているところとして、自分たちの生きているところを理解することが課題になる、ということである。二〇一八年の論考「人新世の時間（Anthropocene Time）」で、チャクラバルティは、人間を尺度にして定められている時空の枠を徹底的に外れたところに存在するはずの非人間的な時空のなかにあるものとして、人間存在の条件を考え直すことを提唱する。

発生し、栄え、そして消えていく諸々の存在のなかの一つとして、諸存在との連関のなかで、人類としての人間も存在する、ということである。これは、世界は人間が消えても存在するというだけでなく、人間ならざるものもまた住みつくところとして新たに変容しうるという認識に支えられている。重要なのは、人間がいてもいなくても存在することが明らかになろうとしている世界において人間はまだ生きていると考えることであり、人間がなおも生きていくうえで何が大切なのかを問うことである。

第3章 旧約聖書とユダヤ教における世界と魂

髙井啓介

1 旧約聖書と「哲学」

†旧約聖書とは何か

旧約聖書という形にまとまった三九の書物をヘブライ語（と一部アラム語）で記述し編纂した人々は、現代のイスラエル国家を核とする地域に住んでいた。この人々、すなわち古代イスラエルのひとびとはイスラエル北王国とユダ南王国と呼ばれる二つの古代的な領域国家に分かれて存在する時代（前一一〜前六世紀）を中心にそれらの書物を編み出した。三九の書物のなかには、北王国の滅亡とアッシリアへの捕囚、そしてなによりも南のユダ王国の滅亡とバビロニアへの捕囚という出来事を経験したのち、とくにバビロニアの地での捕囚生活およびその地での定住生活、およびパレスティナに帰還してからの時代（前五〜前三世紀）に編まれた書物もある。

古代イスラエル人およびユダ人の宗教との連続性を持ちつつ、バビロニアおよびパレスティナ地域に住む人々を中心に、捕囚と捕囚からの解放という新しい現実に直面した人々――のちにユダヤ人とよばれるようになるとくにユダ王国の遺産を受け継ぐ人々――が形成した宗教がユダヤ教と呼ばれる。

旧約聖書という呼称についていうならば、キリスト教が自らの聖書をさして新しい契約の書物すなわち新約聖書と呼び、ユダヤ教の聖書をさして旧《ふる》い契約すなわち旧約と呼んだところからきている。ユダヤ教はもちろん自らの聖書を旧い契約とは呼ばない。彼らは聖書を構成する三つの部分、すなわち律法（Torah）、預言（Nebiim）、諸書（Khetubim）の先頭の三つのアルファベットに母音を付けてタナク（TaNaKh）と呼ぶか、あるいは単にミクラー（読むべきもの）と呼んでいる。また、ヘレニズム期のユダヤ教について述べる際には、当時ユダヤ教徒が多数居住していたエジプトのアレクサンドリアにおいて完成されたセプトゥアギンタ（七十人訳）と呼ばれるギリシア語翻訳聖書を抜きに語ることができない。このギリシア語旧約聖書はヘブライ語聖書本文と同様に権威ある聖書として認められていた。セプトゥアギンタには、ヘブライ語聖書本文には含まれておらずキリスト教では旧約聖書外典（アポクリファ）のなかに含める『マカバイ記』や『知恵の書』などの文書も収められている。ヘレニズム期のユダヤ教の思想については、セプトゥアギンタに含まれる文書を手掛かりに考えることになるだろう。ヘレニズム期以降の中世ユダヤ教については章を改めて論じられる。

†旧約聖書と「哲学」

ところで「哲学」をフィロソフィア（philosophia）とするならば、それは古代ギリシアに生まれた概念であり営みであるから、古代イスラエルには存在しなかったと言えるのだろう。しかし「哲学」が始原（アルケー）に対する問いを含んでいるとするならば、古代イスラエルの人々も、自らの存在とそれをとりまく様々な事物や事象について、その始原に想いを馳せ探究を行っていたことには疑いがない。彼らは始原を、その本質をなす原理の問題として探究したのではなかった。彼らは、神という超越的存在とのつながりを常に意識しながら、物語（神話・説話）を語りだすというかたちで始原をめぐる探究を行ったのであった。

古代イスラエル人であれユダヤ人であれ、彼らが古代西アジアの一隅に生活をし、メソポタミアやエジプトという大文明と常に接触することによりその影響をうけながら、世界について、人間について、彼ら独自の考え方を構築しようとしていた。彼らは、何もないところからすべてを生み出したわけでは決してない。エジプトを、先祖たちが奴隷として住んだ土地と位置づけ、その文明から脱出する過程（出エジプト）において自らの集団としてのアイデンティティを明確にするとともに、世界と人間についての観念をエジプトのそれらと対比させることをしていったと思う。その後もイスラエルはエジプトとの常なる接触のなかで「教訓」や「対話」、「格言」という文学形式と内容を旧約聖書の生成過程において取り入れていった。そしてヘレニズム時代にはすでに述べたようにアレクサンドリアのユダヤ人コミュニティから旧約聖書のギリシア語訳であるセプトゥアギンタが生み出されることになる。メソポタミアの影響は何よりも紀元前六世紀以降のバビロニア捕囚での直接的接触によるものが大きい。本章で論じる世界と人間に関する旧約聖書の思想の多くの部分は、この捕囚でのバビロニアの世界観・人間観と出会い、それと向き合った衝撃から生み出されていったものである。イスラエル人たちはバビロニアから影響を受けつつも、それを独自のことばと概念で表現していった。そして何よりもイスラエル人たちは出エジプト後に定着したカナン(現在のイスラエルとパレスティナの地域)の地の神観念、自然観と直面し大きな影響を受けつつもそれと対峙する道を選ぶことになった。

旧約聖書は自らを取り巻く世界から影響を一方的に受けただけではなく、様々な影響を与えていく存在でもあった。『創世記』の中心人物であるアブラハムはイスラエル人のそしてユダヤ人の父祖であると同時に、その子イシュマエル(イスマーイール)の存在を通してアラビア人の父祖でもあると旧約聖書は位置づける。紀元七世紀以降に展開しユダヤ教徒やキリスト教徒を啓典を同じくする民として認識したイスラームもそのルーツをアブラハムそして旧約聖書に持つものとして意識するとともに、その世界観や人間観を旧約聖書からいやおうなく受け継いでいるといえよう。

2 世界の創造と秩序

†被造物としての世界

本章は以上のような前提にたち、まず次のような問いをしてみることにする。旧約聖書というまとまりで残るいくつもの書物を残した人々は、そのなかに自らをとりまく世界をどのように理解し、それらの書物のなかに、彼らの世界理解をどのように表現したのであろうか。またその世界のなかに生きる人間、そしてなによりもその魂についてどのように表現していたのだろうか。

旧約聖書のなかにその答えを探すとすれば、まず『創世記』の最初に置かれている創造物語が一番ふさわしい。天地創造の物語は旧約聖書のなかで歴史以前を物語る原初史と呼ばれる部分(一〜一一章)の冒頭に置かれ、神話的な内容を持つ物語である。自然科学は世界がどのように成立したかに応えようとする。一方で、聖書の創造物語は、世界がどのように成立したかを語りながらも、実は世界がどのような意味を持っているかに答えを出そうとする。聖書は世界の外に神を想定するという前提にたって考えるならば、その神がどのように世界に関わるかについて、またその神が世界に関わることの意味について語っているということがわかるだろう。一章一節には次のようにある。

初めに神は天と地を創造された。

世界は発生したものではない。世界はおのずからそのようになったという意味での自然でもない。旧約聖書のなかに表現された世界は、まずなによりも神による創造という考え方と強く結びついている。この箇所で、神と世界との関係が明確に定義されている。神が創造者であり、世界は創造されたもの、すなわち被造物である。この関係は旧約聖書において基本かつ絶対的なものである。世界は自らのなかに存在の根拠や原因、そして目的を持つのではない。世界は神が明確な意志を持って創造することにより存在させたものである。この『創世記』冒頭の一節に、創造者である神への信仰がまず表明されている。

世界が神の被造物であるということは、神が世界に属することなく、世界から超越して存在することを意味している。イスラエルの周辺世界において、たとえばバビロニアでは天空やそこにある万象が神（々）となり得たのに対し、イスラエルにおいて被造物が神格化されるということはあり得なかったし、あってはならなかった。出エジプト後に定着したカナンの地に浸透していたバアル信仰のように、自然の諸力を神として崇拝することもイスラエル人にとっては徹底的に非難の対象となる。バアル神とその預言者たちに戦いを挑んだ預言者エリヤ（『列王記上』一八章）が意図していたことは、神の超越性を命がけで守り抜くことであった。自然の万象だけではなく人間も神になる可能性があった。出エジプト記に登場するエジプトのファラオは人間の自己神格化の典型的な例である。イスラエルにおいては、神が絶対であること、そして神以外のすべてのものは相対的であり、不完全であり、限界を持つものであることが、創造主と被造物の関係性から見て取れるのである。

†言葉による創造

『創世記』一章一節に続く第一の創造物語（一：一〜二：四前半）のなかで、神は、言葉を発することによって、創造の業を進める。三節には、「神は言われた。『光あれ』。すると光があった」とある。このように、一日目には神が発する言葉によって、光が創造された。二日目には、神の言葉によって、大空が造られ、上の水と下の水が分かたれた。三日目には、神の言葉によって、地と海が分けられ、植物が造られた。四日目には、神の言葉によって、太陽、月、星が造られた。五日目には、神の言葉によって、水中の生物と空を飛ぶ鳥が造られた。六日目には、神の発する言葉によって、地上の動物と、最後に人間が造られた。六日間のすべてにおいて、旧約聖書の創造は神の言葉による。神が発する言葉によって被造物が存在するようになる。そのとき、神は何の素材も用いていない。

この創造物語はイスラエル人たちがバビロニアに捕囚として滞在していた時代に編纂されたと考えられている。そのバビロニアには古来より天地創造神話が存在した。そのなかでも、紀元前二千年紀半ば以降に成立したのがアッカド語で書かれた『エヌマ・エリシュ』である。「上ではまだ天空が名づけられず、下ではまだ大地が名前を持たなかったとき」という言葉で始まるこの神話においては、幾多の神々の抗争の中から世界が創造されていく状況が描かれている。最終的にはマルドゥクがその抗争に勝ち残り、バビロンの主神としての地位を確実なものとしていくが、その過程でマルドゥクは海水を象徴する神ティアマトを打ち殺し、二つに引き裂いたその死体の半分ずつから、それぞれ天と地とを創造したとある。すなわちバビロニアの創造神話では、ティアマトという神のからだを素材にして、マルドゥクが天と地を造ったことになる。

一方で、すでに述べているように、『創世記』の第一の創造物語において、イスラエルの神は創造に際して何の素材も用いていない。神による世界の創造は、のちのキリスト教神学がいう「無からの創造（creatio ex nihilo）」であったのか。一章二節は次のように語る。「地は混沌として、闇が深淵の面にあり、神の霊が水の面を動いていた」。神による創造行為に際して、「闇」や「深淵」、そして「水」があった。また、旧約聖書外典に含まれている『知恵の書』では「形のない素材」がそのときに存在していたともいわれており、第一の創造物語の背後に「無からの創造」があるとまでは言い切れない。旧約聖書のなかで確実に「無からの創造」という考え方が出てくるのは、ヘレニズム時代の紀元前二世紀以降にギリシア語で書かれた『第二マカバイ記』が一番初めであると言われる。その七章二八節で「子よ、天と地に目を向け、そこにある万物を見て、神がこれらのものを既に在ったものから造られたのではないこと、そして人間も例外ではないということを知っておくれ」との言葉が被造物の創造主である神への賛美となっており、そこにおいてはじめて「無からの創造」が明言されている。

神によって創造された世界の様相、世界を創造する神への信仰およびその創造の業への賛美とは、『創世記』のほかにも、旧約聖書のさまざまな詩作のなかに見ることができる。このような表現は創造を物語る『創世記』のなかにとどまらない。イスラエル人たちがその歴史を通じて編み出してきた様々な時代の多様なジャンルからなる一五〇の詩歌が集められている『詩編』という書物があるが、その八編は、創造された世界で人間が被造物の中心をなす存在であることを賛美している。また三三編には、世界が神の発する言葉によって創造されたこと、そして、その言葉が被造物を生成する力を持つことについて賛美される。『詩編』にはその他にも多くの創造についての証言がある。さらには、『イザヤ書』四〇～五五章にも神の創造への賛美と、被造物への神の統治の壮麗さが証言されている。『詩編』とは異なりイザヤ書の場合は、バビロニアの権力の下に従属させられていた捕囚のユダヤ人の危機という歴史的状況に向けられたものである。創造への賛美は、天と地の創造主であるイスラエルの神がバビロニアの神々よりも力強く、のちにそれらの神々を凌駕するという約束を捕囚民に与えるためのものであった。

神の創造行為は「知恵（ホフマー）」という概念とも関連する。『箴言』三：一九には次のようにあり、創造と知恵の結びつきが認められる。「主は知恵によって地の基を据え、英知によって天を定められた」。『箴言』には、「知恵」そのものが独立して人格的に働くことによる世界創造が語られる箇所もあるが、おそらくその際でも、知恵は神の仲保者として登場しているのだと思われる。

†秩序

イスラエルの神は一つ一つ被造物の創造を重ねるごとに、それを見て、良しとする。「神は言われた。『光あれ』。すると光があった。神は光を見て良しとされた」（『創世記』一：三～四）。自らが造った天と地とその中にあるすべてのもの、すなわち人間を含む被造物を見て、神は最終的にそれらを「極めて良かった」（一：三一）と評価する。

それでは、この「極めて良い」世界は、なぜそれほど良いのだろうか。神の発することばによってこの世界を構成していく被造物が生み出される六日間は、それらのものがあるべきところに収まっていく過程であるともいえよう。第一日目には、光と闇を神は創造して、昼と夜とを「分けた」。第二日目には、大空が上の水と下の水を「分ける」ように造られた。第三日目に神は陸が生じるように海をそこから「分けた」。そしてそれぞれの領域にふさわしい植物と動物がそのなかに創造されていく。第四日目には太陽が造られ、昼と夜とが「分け」られ、時間の経過に節目を与えるものとなった。このように神の言葉によって世界に時間と空間の秩序がもたらされ、生命に秩序だってこの世界に生きる場所を与えられた。創造された世界が極めて良いのは、このように、それが秩序と調和に満たされているからである。

ところで、ギリシア語で書かれた『第二マカバイ記』七章二三節前半は次のように言う。「人の出生をつかさどり、あらゆるものに生命を与える世界の造り主は、憐れみをもって、霊と命を再びお前たちに与えてくださる」。ここで「世界」と日本語に訳されるのは、セプチュアギンタのギリシア語ではコスモスという単語である。ヘレニズム時代のユダヤ教は、コスモスという概念を用いて世界を表すようになっていた。そこでは神はコスモスの創造主として表現される。

コスモス（kosmos）というギリシア語はイオニア哲学に発する概念で、整然とした秩序としての世界を表すといわれる。秩序正しく調和のとれたものは美しいことからこのギリシア語は美という意味とも結びついている。この語から派生した英語のcosmetic（コスメティック）が化粧品の意味であることからもうかがえるように、女性が服飾や化粧で美しく装った状態を表現するためにも使われた。『第一マカバイ記』二章一一節には、「この国は、そのコスモス（飾り）をすべてはぎ取られ、自由を失い、奴隷となり果てた」とあり、ユダとエルサレムを女性にたとえ、かつての栄華が失われたことを女性の装飾品が奪われたこととして表現している。コスモスは自然界の秩序立った様相を示すのにも用いられ、世界の秩序、あるいは秩序の貫徹した世界そのものを意味する語ともなる。

旧約聖書の描く「極めて良い」世界の秩序は、創造において神がもたらした秩序である。神は新しい被造物を創造し、すでに存在するものと新しいものを区別・分離し、新しいものを世界のなかに位置づけることで混沌（カオス）を秩序（コスモス）へと変えた。コスモスという概念をヘレニズム世界から受け取ったユダヤ教においても、第二マカバイ記が述べるように、その秩序が神から離れてあるものではないことを意識している。

3 人間の魂

†魂

さて、そのような「極めて良い」世界で生きる人間について旧約聖書は次のように語る。

主である神はこう言われる。
神は天を創造して、これを広げ
地とそこに生ずるものを繰り広げ
その上に住む人々に息を与え
そこを歩く者に霊を与えられる。(『イザヤ書』四二:五)

神が創造した世界には、息が与えられ、霊が与えられるというそこに住む人間が登場してくる。ここからは、世界から人間に焦点を移し、旧約聖書における人間とその魂の問題へと話を進めていくことにしよう。

日本語聖書のなかで「魂（たましい）」と訳されるヘブライ語は「ネフェシュ」である。この「ネフェシュ」をドイツ語聖書ではSeele（ゼーレ）、英語の聖書ではsoul（ソウル）と訳している。これは、セプチュアギンタのギリシア語訳が「ネフェシュ」を「プシュケー」に、またラテン語訳のいわゆるヴルガタが「ネフェシュ」を「アニマ」と訳しているところからきている。ここでは、この「ネフェシュ」というヘブライ語を、旧約聖書の記者たちがどのような文脈で使っていたのか、まずそこから見ていくことにする。

「魂」と訳されるネフェシュは旧約聖書のなかで七六〇回使われている。この語は、ひとの身体的器官としての「のど、口」を指す場合が意外に多い。ウガリト語のnpšが「大きく開いた口、のど」を意味するが、そのことからもヘブライ語の用法に「のど」があることが確認されている。「シェオル（冥界）はネフェシュを広げ、口を限りなく開く」（『イザヤ書』五：一四）という表現はまさにそのことを示している。『箴言』において、「親切な語り口は蜜の滴り、ネフェシュに甘く、骨を癒す」（一六：二四）といわれるとき、ネフェシュはのどとして、蜂蜜の甘さを味わう。

ひとののどは渇く。そのように、ネフェシュもまた渇く。「飢え、また渇き、ネフェシュは衰え果てようとしていた。……まことに主は渇いたネフェシュを潤し、飢えたネフェシュを良いもので満たしてくださった」（『詩編』一〇七：五、九）。このようにネフェシュは、渇いた口、渇いたのどのように神を求めて渇望する。「のど」と密接に関連しながら、ネフェシュは「渇望、食欲、欲望」をも意味する。「隣人のぶどう畑に入ったなら、あなたのネフェシュのまま、満足するまでぶどうを食べても良い」(『レビ記』二三：二三)との表現においては、のどであるネフェシュを座とする食に対する飽くなき欲望を意味する。次のネフェシュは、食欲とも貪欲とも理解することができよう。「人の労苦はすべて口のためである。だが、それだけではネフェシュは満たされない」(『コヘレトの言葉』六：七)。

†生けるネフェシュ

第一の創造物語において、神は五日目に次のような言葉を発する。

神は言われた。「生き物が水の中に群がれ。鳥は地の上、天の大空の面を飛べ」(『創世記』一：二〇)

「生き物」は「ネフェシュ・ハッヤー」というヘブライ語を訳したものである。「ハッヤー」は「生きている」という意味であるから、「ネフェシュ・ハッヤー」は「生けるネフェシュ」という表現である。この「ネフェシュ・ハッヤー」は「水の生き物」だけではなく、「地の生き物」をも指す。また「地の獣、空の鳥、地を這うものなどで、すべてネフェシュ・ハッヤーがその中にあるもの」という表現もあり、「生けるネフェシュ」とは「生き物」そのものでもある。

水と地の生き物が生きている状態を表現する「生けるネフェシュ」は、第二の創造物語（二：四後半〜二五）のなかで、最初の人間であるアダムに対して使われることになる。

神である主は、土の塵で人を形づくり、その鼻に命の息を吹き込まれた。人はこうして生きる者となった。（『創世紀』二：七）

第二の創造物語は人間の創造に焦点を当てる。この文章のなかでは、旧約聖書の日本語翻訳は上記の訳を含めてすべて聖書協会共同訳（二〇一八年、日本聖書協会）からの引用である。その一つ前の新共同訳では、土にはアダマ、人にはアダムというように、括弧内に原語のヘブライ語が補われ、人の創造が土という素材によるものであることが、ことばのつながりからもわかるように強調されていた。

第二の創造物語においては、神が擬人化して語られる。『イザヤ書』六四章七節では、創造主としての神が陶器師に、そして創造主によって造られた人間が陶器にたとえられているが、この第二の創造物語は、そのモチーフと極めてよく似ているところがある。陶芸家が器を大切に作り上げるように、神は自らの手で土をとり、それを人や動物の形に変える。それから神は、その人の形をしたものの鼻に、命の息を吹き入れたとき、人（アダム）は生きる者となったが、この「生きる者」と訳されていることばがさきほどのネフェシュ・ハッヤーすなわち「生けるネフェシュ」なのである。土から造られた人間のかたちをしたものは、神の息を吹き込まれることによってはじめて「生ける人間」になったということである。このばあい、人がネフェシュを持っていると言われているのではない。人がネフェシュであり、ネフェシュとして生きるのである。

†ネシャマーとルーアハ――息と霊

土（アダマ）のかたまりにしか過ぎなかった人（アダム）が生きる者（ネフェシュ）となったのは、神によって命の息が吹き入れられたからである。神から来るこの「息」は「ネシャマー」というヘブライ語である。ネシャマーという単語は、それが神から来る息である場合、セプチュアギンタにおいては、常に「プノエー」というギリシア語に置き換えられている。この「プノエー」という名詞は「風が吹く、息をする」という意味の動詞「プネオー」を語源としている。そのような意味と重なるネシャマーは旧約聖書のなかでの用例が二四回と、それほど頻繁に使われる語彙ではない。むしろ同様の状況において、ネシャマーと良く似た意味として、旧約聖書のなかでより多く(三四〇回ほど)使われているのは、「ルーアハ」である。「ルーアハ」は本来的には、気象学的な現象として、微風から大風、そして嵐に至るまでの風の動きを表現することばである。地中海方面から夏に吹く湿った風は「西のルーアハ」と、また、シロッコとも呼ばれ夏に熱波をもたらす風は「東のルーアハ」と呼ばれる。旧約聖書はしかしながら「風」の自然的性質を超えたところに関心をおき、神(ヤハウェ)の顕現とその威力、審判者としての介入を表現するためにルーアハにしばしば言及する(『エレミヤ書』四九:三六など)。空気の動きが神の息吹によって引き起こされる場合には、その息吹そのものもルーアハであると言われる。『ヨブ記』の主人公であるヨブが次のように述べている箇所がある。

神のルーアハがわたしを造り
全能者のネシャマーがわたしに命を与えたのだ。(『ヨブ記』三三:四)

旧約聖書の詩文には並行法という表現があるが、これは思想的に韻を踏んでいるとでもいえばいいだろうか。同じ内容のことがらを、別のことばで表現することで、その意味を強調しようとする。ヨブの場合は、ネシャマーとルーアハがほぼ同義で、神から来るその生命原理が創造した人間に命を与えるということを二行にわたって述べている。第二の創造物語で土のかたまりに神が吹き込んだものはネシャマーであるが、上の例から考えて、それはこのルーアハとほぼ同様の意味であると考えても良い。同じ『ヨブ記』の「人の中にはルーアハがあり、悟りを与えるのは全能者のネシャマーなのだ」（三二：八）という例も同様である。しかし、「神のネシャマーがまだわたしの鼻にあり、わたしのルーアハがまだ残っているかぎり」（二七：三）という表現を見ると、厳密には、ネシャマーがあくまでも呼気であるのに対して、ルーアハはその呼気がからだのなかに入ったあとの状態を指しているように思える。ルーアハが「霊」（ギリシア語ではプネウマ）と日本語に訳されるのはそのような理由からであろう。

†ネフェシュ――生ける人間そのものとして

このようにして、神の息吹（ネシャマー）が鼻から吹き込まれ、からだの中でルーアハ（霊）が活動をはじめたとき、土（アダマ）を素材とする物質的なからだはルーアハをその中に包み込んだまま、その存在は生けるネフェシュとなった。それは人（アダム）が、命の息（ネシャマー）を神から吹き込まれることによってのみ、ネフェシュとなったということである。からだの内部に神の息吹からなる霊を内包してのみ、その存在全体においてひとは生き生きと生きることができる。旧約聖書はこの生き生きとした存在をネフェシュと呼んでいるのである。

このように生きた個々人自体をネフェシュと呼ぶ例は旧約聖書に多い。聖書のヘブライ語は「私の」という代名詞を単語の後ろに付加するが、そのように「私のネフェシュ」と代名詞をともなうばあい、まるで代名詞だけを指すように「私自身」という意味になる。「鹿が涸れ谷で水をあえぎ求めるように、神よ、私のネフェシュはあなたをあえぎ求める」（『詩編』四二：二）というばあい、詩編作者は、「私のネフェシュ」を自分自身のこととして神を求める。ネフェシュが渇くとき、その渇きを癒すのは、被造物ではなく、被造物からなる物質でもなく、神との交わりであることがわかる。

最終的には、ネフェシュということばだけで、人や人数を指し示す例もある。たとえば、「ジルパがヤコブに産んだのは、これら一六のネフェシュである」（『創世記』四六：一八）という場合のネフェシュは人数という意味である。その他にもこの種の例は多い（『創世記』一二：五など）。

このように見てくると、ネフェシュは人間の特定のからだの部分を示しながらも、生命機能であるルーアハと意味を共有しつつ、最終的には生きている人間そのもの、人間の命、その全体性を表していることがわかる。『詩編』七四：一九は次のように言う。「あなたの山鳩のネフェシュを獣に渡さないでください。あなたの苦しむ者たちのハッヤー（命）を永遠に忘れないでください」。ネフェシュは命であるハッヤーと対句的に用いられることが数多くあり、両者はほぼ同様の意味を指し示していると考えてよいだろう。

†「魂」は不死か？

それでは、旧約聖書のなかで使われているネフェシュという表現は、「魂」ということばと何が異なっているのだろうか。「魂」ということばを通して、身体のなかにありつつも、同時に身体から離れて、あるいは身体とは別に存在しうる精神的実体であるということを我々は思い描く。

しかし、旧約聖書のネフェシュはそのようなありかたとはかなり異なっている。人間から分かたれるものとして存在する「魂」の観念は旧約聖書にはごくわずかな箇所にしか存在しない。大部分の箇所においては、ネフェシュとは、神から生きとし生けるものに与えられた恵みとしてのいのちである。ネフェシュは、身体と必ず結びついて存在し、死によってその存続を終える。神のルーアハが入ったことによってひとがネフェシュとなったとするならば、神のルーアハが取り去られるとき、生けるネフェシュはその一生を終える。「主に献身している期間は死んだネフェシュに近づいてはならず」（『民数記』六：六）という例のように、からだと霊が一体となったネフェシュは、死に際してその役割を終え、死んだネフェシュとして死体となる。

ギリシアにおいては、魂（プシュケー）は体のなかにあるけれども、やがてはそこから出て行き、肉体から離れ自立した存在となろうとすると考えた人々がいた。しかし、旧約聖書においてはネフェシュの不死性および死後の存続の観念をみることはできない。

†おわりに

旧約聖書に描かれる「世界」（「天と地」）はヘレニズム的なコスモスが意味する「世界」とは様相が異なっていた。世界の秩序は自然に内在する法則によって整えられたものでもなく、その法則によって維持されるものでもない。それが成ったのは、この世界を調和のとれたものとして、また秩序の備わったものとして創造しようとした神の意志による。創造物語の作者は神の言葉として何度も繰り返し、世界は極めて良いものである、と述べる。この世に存在するものについて神はそれをすべて肯定し、祝福を与えている。世界に悪しきもの、いらないものは存在しない。それが旧約聖書の根本的な世界観である。

神の創造の業は世界のなかに現れているから、人間は神を世界の中に発見する。人間は創造する神をその業ゆえに賛美する（『詩編』一〇四、一三六など）。造られた世界（自然）も創造する神の業を賛美する。「天は神の栄光を語り、大空は御手の業を告げる」（『詩編』一九：二）と言うように。ネフェシュ（魂）を持つという意味において、人間は動物と共通性を持つ。しかし第一の創造物語は、被造物でありながらも、人間だけが「神のかたち」（『創世記』一：二七）を持つとして人間に特別な位置を与えている。この「神のかたち」はラテン語でimago deiと呼ばれ、キリスト教神学で熱心に論じられることになる。人間はその特別さゆえに、神から世界を委託されている（『創世記』一：二八）。神が創造した被造物の頂点に位置する生けるネフェシュとしての人間はたゆまざる努力により自然を、そして世界を維持していく義務を常に負っているのである。

さらに詳しく知るための参考文献

W・ツィンマリ著、山我哲雄訳『旧約聖書の世界観』（教文館、一九九〇年）……神によって創造され、人間の手に責任と共に委ねられた世界について、その意義を明らかにした名著。神、人間、歴史、土地、祝福、呪い、知恵などさまざまなテーマが世界とのかかわりのなかで縦横無尽に語られている。

越川弘英『旧約聖書の学び』（キリスト新聞社、二〇一四年）……旧約聖書全体の思想と意味について『創世記』から順を追ってわかりやすく概観する良書。世界と人間の創造を記した部分（二つの創造物語）について必要な情報をすべて得ることができる。

髙井啓介「「ルーアハ」と「オーヴ」――ヘブライ語聖書における霊の問題」（鶴岡賀雄・深澤英隆編『スピリチュアリティの宗教史〔下巻〕』宗教史学論叢16、リトン、二〇一二年）……魂を考えるときには霊について知ることも必要であるが、旧約聖書における霊（ルーアハ）が意味することを詳細に論じるとともに、死者の霊（オーヴ）が持つ意味についても触れている。

市川裕『ユダヤ人とユダヤ教』（岩波新書、二〇一九年）……ユダヤ教にユダヤ人の歴史、信仰、学問、社会という四つの角度から迫り、ユダヤ教を単なる宗教ではなく、ユダヤ人の精神生活を根本から支える生き方のありかたとして理解しようとする視点から著された。ユダヤ教とユダヤ人について理解するには、この書物をおいてほかにはない。末尾の文献解題も非常に有益である。

第4章

中国の諸子百家における世界と魂

中島隆博

1 世界と魂の変容

†枢軸の時代としての諸子百家

カール・ヤスパースが呼んだ「枢軸の時代」の一角を占めるのが、古代中国の諸子《しょし》百家《ひゃっか》の時代である。都市が興隆し、その都市間での交易による経済発展を背景にして、世界と魂に関するあらたな議論が登場してきた。無論、「世界」や「魂」という用語がそのまま見いだされるわけではない。重要なのは、人間を取り巻く地平に対する反省や、人間の「生のあり方」に対する考察が生じたことである。それは、後の中国哲学における世界論や魂論を規定する枠組みを作っていった。そして、仏教やキリスト教との対峙を通じて、その枠組みもまた変容していったのである。ここでは、後世の哲学との連関にも目配りすると同時に、中国以外において展開された同様の議論との重なりについても言及してみたい。もし中国哲学を世界哲学の実践の一つとして理解しようとするのであれば、単純な同異の比較を超えて、問いの立て方や問いの態度において、相互に照らしあうような次元を示す必要があると思われるからである。

ここで取り上げるのは、『荘子《そうし》』、『孟子《もうし》』、『荀子《じゅんし》』そして『論語』というテキストとそこでの世界論と魂論である。世界という地平がわたしたちの周りでどう作られ、どう変容していくのかが中心的な議論である。そこでのわたしやわたしたちあるいは人間を、近代的な主体や個人ではない仕方で、つまり魂としてどう捉えるのかが問われることになる。

†魂交と夢

ここで世界や魂という概念で考えようとするのは、次のようなことだ。まず魂についてだが、それを、その人やそのものをそのように成り立たせているはたらきとして考えたい。それは、実体化された何かとして捉えるのではなく、よりダイナミックな原理として考えてみたいからである。それに応じて、世界もまた何か大きな入れ物や場所のようなものとして捉えるのではなく、魂というはたらきとともに立ち現れてくる地平として考えてみたい。なぜなら、超越的な神のような視点に立って、世界という入れ物の中に、実体としての人やものを配置してその関係を考えるという構え自体が、古代中国、とりわけ前八世紀から前二世紀にかけての春秋戦

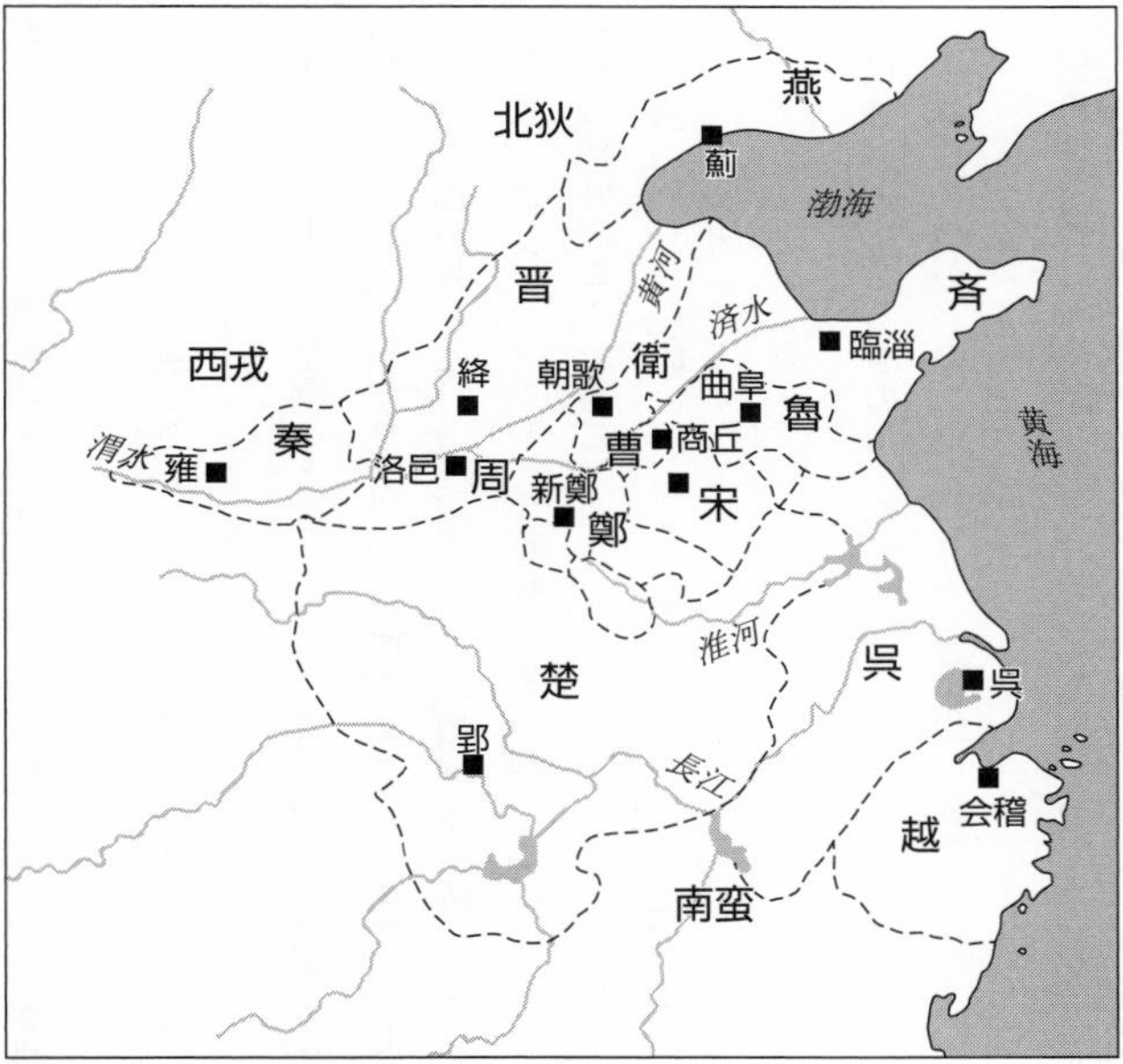

春秋時代の中国（紀元前 500 年頃）

国時代の諸子百家において批判されているからである。諸子百家とは、中国の中原《ちゅうげん》において展開された新しい学問の学派であって、儒家《じゅか》、道家《どうか》、墨家《ぼっか》、名家《めいか》、法家《ほうか》などに分類されるものだ。それは、それ以前の宗教的な信仰から離れて、超越的な「天」と「人」の関係を考え直したもので、人間とそれを取り巻く世界のあり方を反省したものである。

さて、諸子百家の時代において、「魂」という用語それ自体は思ったほど多くは使われていない。それでも印象的な用いられ方を一つ挙げてみると、次のような『荘子』の記事が目に留まる。

寝ているときは魂が交わり、目覚めると形《からだ》がはたらく。（『荘子』斉物論）

西晋《せいしん》の司馬彪《しばひょう》の注釈によると、ここでの「魂が交わる」とは「精神が交錯すること」である。「精神」というのは現在では西洋語の Geist や spirit もしくは esprit の翻訳語として意識されていると思われるが、古代中国では「粗」や「雑」ではない、「精微」である「神」すなわち「神秘的なはたらき」という意味であった。「神」もまた God ではなく、よりダイナミックな神秘の状態のことである。

前漢の前一世紀頃のテキストである『説苑《ぜいえん》』に、「精神」についてのわかりやすい記述がある。

精神は天にあるもので、形骸は地にあるものだ。精神が形を離れると、それぞれその真に帰する。したがって、鬼《き》という。（『説苑』反質）

これは、死において人はどうなるのかを問うた一節である。「精なる神」は、「精」であるから上にあがって天に向かい、肉体は地に向かうと述べた後に、「精なる神」は「その真に帰する」と展開して、それが「鬼」といわれると結んでいる。これは「帰」と「鬼」が同じ音であることから来る言葉遊びでもある。しかし、言葉遊びが問題なわけではない。「鬼神」という幽霊的なものが、中国哲学そして日本哲学において繰り返し問い続けられることになるが、そうした問いの原光景がここに示されている。つまり、「精なる神」や「鬼」は、天という人間を超えた次元に属しているという感覚である。

『荘子』に戻ると、「寝ているときは魂が交わり、目覚めると形がはたらく」とある。これが告げているのは、からだを離れた精なる神である魂が混交するという目も眩むような事態である。それは、目覚めているときには生じない。それは「寝ているとき」という、別のモーメントにおいてのみ可能である。

こうした想像力は、日本文学にも大きく影響している。『万葉集』(七世紀から八世紀)にある「吾妹子《わぎもこ》に恋ひてすべなみ白《しろ》たへの袖かへしし は夢《いめ》に見えきや」とか「わが背子《せこ》が袖返す夜《よ》の夢ならしまことも君に逢へりしごとし」、あるいは『古今集』にある小野小町《おののこまち》の「いとせめて恋しき時はむばたまの夜の衣を返してぞきる」という歌のように、袖や衣を反対にして眠ると、思い人が寝ているときに夢に現れる、あるいは思い人の夢に自分が現れるという見方に繋がっているのだ。

†物化と世界の変容

寝ているときに見る夢がどれだけ重要であるかは、よく知られた胡蝶《こちょう》の夢というイメージに極まっている。

かつて荘周が夢を見て蝶となった。ヒラヒラと飛び、蝶であった。自ら楽しんで、心ゆくものであった。荘周であるとはわからなかった。突然目覚めると、ハッとして荘周であった。荘周が夢を見て蝶となったのか、蝶が夢を見て荘周となったのかはわからない。しかし、荘周と蝶には必ず区分があるはずである。だから、これを物化というのである。（『荘子』斉物論）

「物化《ぶっか》」とは、人間が人間以外の他のものに変化したり、別の姿に化したり、別人になったりする事態を指し示している。それは、儒家的な「教化」という概念に還元されはしない。なぜなら、「教化」は、小人《しょうじん》が君子や聖人になるという啓蒙のプログラムを支える変化であって、目的論的に方向づけられた変化であるからだ。それに対して、「物化」はそのような政治的・倫理的・経済的な体制と利益に向かって整序されない変化である。

この「物化」で重要なのは、世界の変容が考えられているということだ。多くの論者は、胡蝶の夢において、自他が融合した万物一体の世界が目指されていると考えている。ところが、原文では「荘周と蝶には必ず区分があるはずである」と述べていて、荘周と蝶が融合して一体になったとは述べていない。

「物化」を自他の融合とする解釈は、『荘子』の「万物斉同《ばんぶつせいどう》」すなわち「万物はひとしく同じだ」という議論を、ある偏った仕方で用いたことから生じたと思われる。偏った仕方でというのは、「万物斉同」もまた、自他が融合した万物一体の世界という想像力とは、実は異なっていると思われるからだ。それは措くとしても、ここで『荘子』が論じているのは「万物斉同」という同一性ではなく、「物化」という変容の問題である。いったいその変容をどう理解すればよいのだろうか。

古い注釈を参照しておこう。『荘子』に注をつけた西晋の郭象《かくしょう》(二五二頃~三一二)は次のように述べていた。

そもそも覚夢の区分は、死生の区分と異ならない。いま自ら楽しみ、心ゆくというのは、その区分が定まっているからで、区分がないからではない。そもそも時間というものは、片時も止まったりせず、今というのはついに存在しない。だから、昨日見た夢は、今においては化すはずである。死生の変化もこれと別ではなく、心を労するのはその間においてなのだ。まさにこれである時には、あれは知らない。夢で蝶になっていることはそれである。これを人に当てはめれば、一生において、今は後のことを知らない。麗姫《りき》がそれである。愚者は知ったかぶりをして、自分で生は楽しく死は苦しいと知ったつもりでいるが、それはまだ物化の意味を知らないのである。（郭象『荘子注』）

郭象は「物化の意味」を解釈して、区分の前後において、それぞれの世界にそれぞれが充足しているにもかかわらず、変容が生じることだと述べる。注意したいのは、「まさにこれである時には、あれは知らない」という原則である。それは、「物化」の前後において、それぞれは自分のあり方を十分享受し、自足しており、他なるあり方がわからないような仕方で世界を作り上げている、ということだ。それにもかかわらず、「物化」という他なるものになる根本的な変容が起こってしまい、そこで生じた世界もまたまったく新しい別の世界となって立ち現れる、ということなのだ。

言い換えれば、それは、一つの世界に二つの立場があり、その立場を交換しあうことでもなければ、諸変化を貫いて同一である実体を想定しているわけでもない。また、真実の世界を別に想定しているわけでもないし、複数の世界を超えた視点に立っているわけではない。

荘周と胡蝶、夢と目覚め、そして死と生という区分のもと構想されている「物化」とは、このようなことだ。一方で、荘周が荘周として、蝶が蝶として、それぞれの区分された世界とそのあるモーメントにおいて、絶対的に自己充足的に存在し、他の立場には無関心である。それにもかかわらず、他方で、その「性」という生のあり方が変容し、他なるものに化し、その世界そのものも変容する。このような事態なのである。

2　スコラ哲学、修験道、そして仏教との連絡

†花とアレルゲイア

この事態をもう少しよく理解するために、山内志朗『湯殿山《ゆどのさん》の哲学——修験と花と存在と』に響いた地霊のことばを参照してみよう。そこでは、スコラ哲学と修験道の哲学が交錯し、「花」の哲学が展開されている。

桜は襞《ひだ》を展開して開花させる。徳倫理学は幸福を開花（flourishing）として捉える。小さな花も大きな花も、自らの花を開花させるべく存在を移ろう。花が開花するのは、実を結ぶた

めではない。だからこそ、花は「何故なしに」咲く。
普遍的な尺度や客観的な基準を満たすべく花が咲くのではない。花は花であり、自らの襞を展開して開花を実現する。そして、月山《がっさん》は多くの山襞《やまひだ》から構成され、湯殿山はその一つの襞なのである。（『湯殿山の哲学』五一頁）

「花」は、種子に折りたたまれた襞を展開する開花というプロセスである。それは結果的に実を結ぶことがあるにせよ、その定められた目的のために咲いているのではない。花は「何故なしに」すなわち理由や根拠もなしに咲く。それこそが、アリストテレス哲学が提示する「エネルゲイア」すなわち「エン・エルゴン」という、何かが働いている現実態というあり方なのだ。

キネーシスは、歩行のようなもので、目的を備え、目的に到達する限り、歩行がその目的にいたる手段としてある。目的地に着かない歩行は無意味である。歩行はそれ自体では無意味である。他方、エネルゲイアは舞踊のようなものであり、その行為はどこにいたるというものではない。どこに行くことがなくても、その内に目的を常に実現しているので、行為の外部に措定される目的に到達しなくとも、常に完成している。舞踊は常に目的に到達しているのであり、常に「踊り終えている」のであり、完成しているのであり、どこで終えようと不完全ということがないのである。キネーシスは目的への到達によって消え去り、エネルゲイアは目的の中にとどまる。アリストテレスは、そのようなエネルゲイアの典型として「人生」を挙げる。エネルゲイアとしての人生！（同、二〇五〜二〇六頁）

ここでは目的に向かう運動である「キネーシス」と、目的そのものである、もしくは外在的な目的がないと言ってもよい行為である「エネルゲイア」が対比されている。それに加えて、「エネルゲイア」と「エンテレケイア」の関係がここでは問われていて、両者が単純な等号関係にあるとして理解するよりは、両者の関係を再考することで、テロスすなわち目的に達していることのそもそもの意味を捉え返そうとしているのだ。そして、「どこで終えようと不完全ということがない」という理解は、通常の「エンテレケイア」理解をはみ出ているのだ。

そうであれば、さらにこうも考えられるのではないだろうか。「花」は舞い踊る行為そのものである。無論、わたしたちは「花」が萎れることも承知しているが、それもまた「エネルゲイア」と呼ばなければならない。さもなければ近代的な概念であるアレルギーをもじって、他なる仕方ではたらく「アレルゲイア」とでも呼ぶべきなのだ。「エネルゲイアとしての人生」には衰老もまた含まれるのである。

興味深いのは、この「花」という事態が、それ自体一つの世界であると同時に、やはり一つの襞だということである。もし襞の細部に分け入ってしまうと、決して全体を見通すことはできない。「月山に近すぎて、月山が見えない谷間で私は育った」（同、一二頁）とあるように、わたしたちの生は必ずしも超越的な視線を備えているわけではない。全体としての世界なるものを一挙に見渡しているわけではないのだ。

ここで『荘子』の胡蝶の夢に戻ろう。荘周と胡蝶はそれぞれが「花」なのだ。そして、見通すことのできない世界をそれぞれが「近傍《きんぼう》」として生成しているのであって、あらかじめ前提された全体としての世界の中にあるわけではない。その上での「物化」なのだ。他なるものに変化するとは、「近傍」としての世界もまた変化するのである。この「物化」は、先ほどの概念で言えば、「アレルゲイア」である。アレルゲイアとしての人生！

†仏教との連関

実を言うと、これまで挙げた『荘子』の二つの記事（魂交と胡蝶の夢）は、六朝《りくちょう》時代に仏教が本格的に中国の言説空間に入ってきた際（五世紀の鳩摩羅什の訳経がその中心）に、仏教徒側がわざわざ取り上げ、仏教という新しい想像力を説明するよすがにしたものであった。その詳細は第2巻第6章で論じることになるが、一端を紹介しておきたい。

曹思《そうし》文《ぶん》という仏教を奉じる士人の議論の中にこうある。

寝ている時に、魂は交わる。だから神が胡蝶となって遊んだのは、形と神が分かれたからである。目覚めると形がはたらくので、ハッとして荘周であったのだが、それは形と神が合したのである。こうして、神と形は分かれたり合したりする。合すれば共に一体をなし、分かれれば形は亡び、神はすぎ逝く。(『難范中書神滅論《なんはんちゆうしよしんめつろん》』)

傍点部を見れば、それが魂交と胡蝶の夢の記事からなっていることがわかるだろう。では、曹思文はそれらをどう用いたのかというと、「形《からだ》」と「神」が分離しうることの論拠としたのである。それによって、仏教徒は、死んだ後にも何らかの魂が存在すること、それが輪廻転生することを証明しようとしたのである。

ただし、これはややねじれた使用法に見える。というのも、『荘子』の議論は、魂の離存であるとか、心身問題的に魂とからだの関係を論じているとかではなく、生のあり方とそれを取り巻いて成立する地平としての世界が変容することを論じているからだ。輪廻転生ではこの魂の同一性が担保されなければならないのだが、『荘子』では同一性ではなく、ある魂の交錯と変容が問われているのだ。さらに言えば、仏教は最終的には輪廻転生から解脱することを目指しているはずで、本来であれば「形」と「神」の離合にとどまっていてはならないはずだ。

そのようなねじれがあることを踏まえた上で、それでも『荘子』が仏教徒によって援用された意義を考えてみるならば、やはりそこに他なる世界への通路と、人が変容することへの想像力が蓄えられていることがあるのだろう。仏教が「成仏」すなわち仏になることを目指し、浄土を含む複数の世界を構想するのであれば、中国においては不可避的に『荘子』の魂論や世界論と関わらざるをえないのである。

ここで、もう一つ、仏教徒が言及した古代の世界論そして魂論の例を見てみよう。それは、『孟子』梁恵王上の記事にある、「王は喜んで言う。『詩経《しきょう》』に「他人には心があり、それをわたしは忖度する」とあるが、それはあなたのことだ」という箇所である。これは『詩経』の一節（小雅《しょうが》・節南山《せつなんざん》・巧言《こうげん》）を踏まえたものだ。仏教徒である蕭琛《しょうちん》はその『難神滅論』において、こう述べていた。

范縝《はんしん》『神滅論』は「心臓が思慮の本であるので、思慮は他の部分にやどることはできない」と述べている。この論は、口眼耳鼻についてであれば成立するだろうが、他人の心についてであれば成立しない。というのも、耳や鼻はこの体を共にしているとはいえ、互いに混じり合うことはないからだ。はたらきをつかさどるところが同じではなく、器官のはたらきが異なっているためだ。ところが、他人の心はあちらの形にあるのに、互いに交渉できるからだ。

これは神の原理がどちらも妙であり、思慮の機能がいずれにもはたらいているためだ。だから、『書経』で「君の心をひらいて、わたしの心にそそぎ込め」、『詩経』で「他人には心があり、それをわたしは忖度する」と言っている。斉《せい》の桓公《かんこう》が管仲《かんちゅう》の謀に従い、漢の高祖が張《ちょう》良《りょう》の策を用いたが、どれも自分の形に基づいた思慮を、他人の部分にやどした結果である。どうして「甲の情が乙の体に、丙の性が丁の体にやどることはできない」と言うのか。(『難神滅論』)

蕭琛の議論に詳細に立ち入ることはしないが、ここでは他者の心が問題になっていて、それと交わることは、「甲の情が乙の体に、丙の性が丁の体にやどる」ような事態だと考えていることは確認しておきたい。しかも、その際、他者は人間だけに限定される必要はなく、作り上げられたジャンルを超えて魂は交わる。

3 儒家の世界論と魂論

†忍びざる心

では、この『詩経』を引用している『孟子』の議論とはいかなるものであるのか。それは『孟子』の重要な概念である「忍びざる心」に関わるものであった。

孟子 わたしは胡齕《ここつ》から次のようなエピソードを聞きました。

王が堂上に座っていると、牛を牽いて堂の下を過ぎる者がいた。王はそれを見てお尋ねになった。「牛はどこに行くのか」。お答えした。「牛を殺して鐘に血を塗ろうとしているのです」。王はおっしゃった。「それはやめなさい。わたしは牛が恐れおののいて、罪もないのに死地《しち》に就くのに忍びない」。「では、鐘に血を塗る儀式をやめましょうか」。「それはやめるわけにはいかない。羊を牛に代えなさい」。

こうしたことが本当にあったのでしょうか。

王 あった。

孟子　では、その心があれば王たるに十分です。人々はみな王が牛を惜しんだと思っていますが、わたしは王の忍びざる心をわかっています。

王　なるほど、牛を惜しんだと噂するような人は実際にいるだろう。しかし、斉国は小なりとはいえ、どうして一頭の牛を惜しむだろうか。牛が恐れおののいて、罪もないのに死地に就くのに忍びなかったから、羊に代えただけだ。

孟子　人々が王は惜しんだと思うことを怪しまないでください。小さい羊を大きな牛に代えた意味を、彼らは知る由もないのです。王が罪無くして死地に就くのをいたんでいるのであれば、牛と羊に違いなどないわけです。

王　王は笑って言う。これは本当にどんな心なのだろうか。わたしは牛という財物を惜しんで、羊に代えたのではないが、人々が物惜しみしたと言うのも宜《むべ》なるかなだな。

孟子　胸を痛めることはありません。それこそが仁術《じんじゅつ》なのです。王は牛を目にしてはいましたが、羊は見ていなかったからです。君子というものは、禽獣《きんじゅう》に対して、その生きている姿を見ると、死を見るに忍びませんし、その声を聞くと肉を食べるのに忍びません。だから、君子は厨房を遠ざけるのです。

王　王は喜んで言う。『詩経』に「他人には心があり、それをわたしは忖度する」とあるが、それはあなたのことだ。（『孟子』梁恵王上）

『孟子』と『荘子』は前四世紀から前三世紀にかけての成立で、かなり時代的に重なっているテキストであるが、アンヌ・チャン『中国思想史』によれば、問題系は対極的で、ライヴァル的である。とはいえ、ことが世界論や魂論になると、どちらも変容を扱っており、興味深い重なりあいがある。

たとえば『孟子』の「性善」を取り上げてみよう。そこでは人の「性」が問われているのだが、注意したいのは、この「性」は本質というよりは、人をそう成り立たせている「生のあり方」として理解した方がよいということだ。それは一種の魂論なのだ。そして、『孟子』は「生のあり方」がそのままで善であると言っているわけではない。そうではなく、「生のあり方」には善への端緒が含まれていて、その端緒を「拡充」することで善を実現することができると言っているのである。そして、その「拡充」のためには何らかの実践が必要である。ではそれはどのような実践なのか。その一つの例が、ここに示した「忍びざる心」であった。

この「忍びざる心」は、わたしの心ではない。それは他者から触発されて生じる心であって、最初から「魂交」という事態から始まっている。ここでの王は牛という他者によって、突如、偶然に触発されて、「忍びざる心」を生きてしまった。それは理由や根拠を欠いた事態であるために、王はそれに対して戸惑いを隠すことができない。「これは本当にどんな心なのだろうか」。王は牛に代えて羊をと言ってしまったが、この世界での経済的な見方では吝嗇《りんしょく》と評価されるものだ。しかし、王はそのような経済的な節約をしたかったわけではない。それはこの世界の裂開にかかわる判断であった。この世界とは原理的に異なる世界が垣間見えた瞬間に立ち会ってしまったがために、下した判断であったのだ。

その事態を共有してくれたのが孟子であった。「他人には心があり、それをわたしは忖度する」という『詩経』の言葉が、孟子を通じてはじめてわかった。それと同時に、「忍びざる心」を生きてしまったことの意味もわかったのである。それは、わたしたちが他者とともに心すなわち魂を生きるということだ。わたしに心があるとか、他者に心があるというのは、孤立した単独の現象ではない。心というわば動詞的な事態が成立するためには、そもそも他者からの触発がなければならないが、いったん心が成立し、自己充足した世界が展開したとしても、そこには常に裂開があり、他者の心に到達しうる瞬間があるのだ。

†性を化す

こうした『孟子』の議論と、上述した『荘子』の議論を受けて、さらに踏み込んで思考したのが『荀子』である。そのポイントは、「性を化す」すなわち「生のあり方を変化させる」ことにある。

そこで聖人は性を化し、偽を起こした。偽を起こすと礼義を生み出した。礼儀を生み出すと法度を制定した。こうであるので、礼義法度は聖人が作り出したものである。(『荀子』性悪)

性に反し情に悖《もと》ること。(『荀子』性悪)

いずれの記事も『荀子』性悪篇にある。『孟子』の「性善」と同様に、『荀子』の「性悪」という概念も、注意して理解しなければならない。『荀子』の主張は、人間の「性」という「生のあり方」は、そのまま放っておくと悪い状態に陥るというものだ。ここには人間の「性」がそもそも不十分なものだという洞察がある。ここで『荀子』は、「性」をよりましなものに変化させる必要を説く。これは、儒家の言う「性」が、自然主義もしくは本質主義において理解されてはならないということでもある。アンヌ・チャンが推測するように、こうした変化の導入に『荘子』の「物化」の思想があったのだろう。とはいえ、『孟子』においても、その「性善」の主張に、「性」が善に向かって変化しうることを含んでいたのだから、『荀子』が儒家の問題系を離れたというわけではない。それは、『荘子』の儒家批判を受けて、儒家の性論を再構築したものだと理解した方がよいだろう。

だからこそ、『荀子』は『荘子』を「天に蔽《おお》われて人を知らず」（『荀子』解蔽《かいへい》）と批判し、あらゆる方向に開かれた、非倫理的な変化である「物化」を受け入れないのである。『荀子』はあくまでも儒家として、人間の「生のあり方」を特定の倫理的な方位に向かって変化させようとした。だが、それはいかなる方位であるのか。

人の性は悪で、その善は偽である。人の性は、生まれながら利を好む。それに従えば、争奪が生じ、辞譲《じじょう》が滅ぶ。また、生まれながらに妬む。それに従えば、他人を損ない、忠信が滅ぶ。そして、生まれながらに耳目《じもく》の欲望があり、美声美色を好む。これに従えば、淫乱が生じ、礼義が滅ぶ。人の性に従い、人の情に従うと、必ず争奪が生じ、分理を乱し、暴に帰してしまうのだ。そこで、師法による教化と礼義の道が必要となる。そうして辞譲が生じ、文理に合し、治に帰する。以上から、人の性が悪であることは明らかであり、善は偽にある。

（『荀子』性悪）

『荀子』が目指す最終的な方位は「治」である。実に儒家らしい目的である。ところが、儒家の歴史において『荀子』は危険極まりない哲学であって、おおっぴらに読むことは避けられてきたし、言及するにしても、批判的なトーンでしか扱うことができなかった。その画期は唐である。唐になって、『荀子』にようやく注釈が施された。楊倞《ようりょう》のものである。そして韓愈《かんゆ》が儒家の系譜を孔子から孟子に定めて、『荀子』を排除していき、その後『荀子』への批判的な言説が一般化していく。その最大の理由は「性悪」の主張であり、「性を化す」とまで踏み込んだことにある。それは、純粋で完全な「性」という理想を踏みにじるように理解されたのである。ただ、ここで強調しておきたいのは、もう一つの理由である。つまり、『荀子』は、「治」に向かって「性を化する」方法として「師法による教化と礼義の道」を挙げたのだが、その方法を歴史化したことこそが問題であったのだ。どういうことか。

『荘子』にせよ、『孟子』にせよ、その世界論や魂論に歴史性はまずみられない。歴史を欠いた議論だと言ってもよいだろう。ところが、『荀子』の最大の特徴は歴史を導入したことにある。それは、過去と現在そして未来という相異なるあり方をしている世界をどう繋ぐのかを考えるということなのだ。今のこの世界のあり方は、歴史的に構成されたのではないのか。また、今のこのわたしのあり方も、歴史的に構成されたのではないのか。これこそが核心的な問いである。

「後王《こうおう》」という概念は『荀子』が発明したものである。それは過去の「先王」を反復する現在の王のことだ。この反復において、世界のあり方を規定する「法」や「礼」と言った制度は変更されながら継続している。変更できない制度はどこにもないし、その変更に応じて世界のあり方はいかようにも変化しうる。

興味深いのは、『荀子』の議論にいわゆる夷狄《いてき》の世界がたびたび登場することだ。夷狄というのは、中華という文明の中心から見た周辺の民族とその社会のことであり、文明ではない野蛮として表象されていた。『荀子』はそれらもまた、別の制度に応じて、特定の世界を形成していると考えている。そして、制度が可変的である以上、その特定の世界もまた変化しうるし、別の世界ともコミュニケーションが取れるはずだと考えている。これは『荘子』とは実に対照的な世界観である。『荘子』が一つの世界の中に深く立ち、他の世界を安易に見ないようにした上で、世界の変容を構想したのに対して、『荀子』は複数の世界を認めた上で、しかし、それらを超えた超越的な視点に立つのではなく、歴史的な視点に立って、その複数の世界の間の関係を考察しているのである。

これが魂論に適用された場合、次のようになる。その人の「生のあり方」は、「法」や「礼」といった制度を身につけることによって変化するのだが、その制度自体が可変的なものである以上、「治」という最終目標があるにせよ、「生のあり方」の変化の具体的な様相は時代によっても状況によっても大きく変化しうる。おそらく、後世の儒家にとって『荀子』が悩ましいのは、こうした可変性なのだろう。「法」や「礼」といった制度がもたらす則るべき規範が、構造的に揺らぎうるということは、なかなかに受け入れがたい。

また、そこから導かれる、世界を構成する制度は人間が歴史的に作るという結論もやっかいなものだ。もし古《いにしえ》の聖人が、神の創造よろしく一撃で制度を創造したとすれば、後の人々はそれを正しく反復しさえすれば十分である。ところが、『荀子』は、古の一撃を歴史化することによって、脱構築してしまったのだ。制度は常に作られ続ける。しかもそれは、「聖人」に仮託されるとはいえ、人間たちがその社会的想像力を通じて作り続けるのである。世界のあり方と魂のあり方すなわち「性」は、相互にお互いを規定している。世界のあり方が変われば、人間の「性」も変わるし、その逆でもあるのだ。この相互作用に、超越者は不要である。必要なのは、変化し続ける不完全な人間である。

†仁であること

これまで見てきた古代中国の世界論や魂論を可能にしたものについて、最後に考えてみたい。世界や魂について問うことが可能になるためには、他者というエレメントがどうしても必要である。そこからはじめて自分とそれを取り囲む世界の地平という問題が現れてくるからだ。しかも、自分よりも他者がより先行して現れているのである。そのために、ここでは意味は充溢《じゅういつ》しているのではなく、意味の裂け目が露呈している。その裂け目から、世界や魂を考えなければならない。古代中国においてこうした意味が裂ける経験に向かいあった最初の哲学者は孔子であろう。

司馬遷《しばせん》は『史記』において孔子を「喪家《そうか》の狗《いぬ》」と述べた。それは、住むべき場所をもたず、あちこちを放浪する人だ。弟子たちとともに国から国へと流浪する孔子は、他者に出会い、他者とみなされることによって、まったくあらたな世界と魂のあり方を思考したのである。その思考から紡ぎ出された新しい概念が「仁」である。「仁」には様々な定義があるが、明らかなことは、弟子たちとの対話において探求されるべき概念であったということだ。つまり、それは概念の内容からして、孤立していないということだ。

樊遅《はんち》が仁について尋ねた。孔子が答える。「仁は他人を愛することである」。（『論語』顔淵）

子貢《しこう》が尋ねた。「一生行い続けるに値する言葉は何でしょうか」。孔子が答える。「それは恕《じょ》（思いやり）だ。自分がされたくないことは人にもしてはならない」。（『論語』衛霊公《えいれいこう》）

こうした対話が告げている「仁」は、実に単純な事態である。「他人によくして人間的になる」。これに尽きる。これに尽きるのだが、それがもたらすあらたな世界や魂のあり方は実に強烈である。なぜなら、他者とともにしか、わたしや世界のあり方が人間的になっていくことは考えられないと述べているからである。

あらかじめ規定されたわたしや世界のあり方などない。それらは「他者によくすること」を通じてのみ作りだされ、かろうじて「人間的になっていく」。たとえどれだけの権力者であっても、「仁」を実践しなければ、そのあり方は人間的ではなく、結局は無意味にすぎない。アンヌ・チャンは「仁」についてこう述べていた。

仁という字は、「人」(これは仁と同じ発音である)と「二」という二つの部分からなる。これは、人は他人との関係の中ではじめて人間的になれるということだ。この文字の形が切り開く相関的な領野においては、自己は他人から孤立し内面へと退いた実体としてではなく、人格同士の交流の結節点として理解される。二世紀の偉大なる注釈家(鄭玄)は仁を定義して、「人間が一緒に暮らしていることから生じる、互いに対する配慮」であると述べる。

仁は、さしあたっては「人間としての品徳」であるとか「人間らしさ」として翻訳できるものだが、それは、他人との関係の網の目の中で、人間をただちに道徳的な存在として作りあげるものである。複雑ではあるが調和の取れた人間関係は、世界それ自体に似ている。それゆえ、道徳的思考は、個人と個人の間に望ましい関係を打ち立てる最良の方法を論じるわけではない。反対に、道徳的な紐帯《ちゅうたい》が最初にあって、それがすべての人間存在の本性を基礎

づけ、構成しているのである。（アンヌ・チャン『中国思想史』四七〜四八頁）

「仁」を通じて、孔子はそれ以前の社会が前提していた意味のシステムを転倒し、あたらしい世界や人そして魂に対する態度を発明してしまった。それは、「道徳的な紐帯が最初にあって、それがすべての人間存在の本性、すなわち生のあり方を基礎づけ、構成している」と考える態度である。

その後、上述したように、古代中国において人間の生のあり方が様々に議論されるようになるのだが、その出発点には他者の登場があったのである。今日の社会においても、わたしたちは依然として、個人から出発し、その関係性を考え、その上で世界を構想する傾向に縛られているのだが、古代中国の思考はそれをもう一度揺さぶり、魂と世界に対する異なる想像力を提示してくれているのである。

さらに詳しく知るための参考文献

アンヌ・チャン『中国思想史』（志野好伸・中島隆博・廣瀬玲子訳、知泉書館、二〇一〇年）……単独の著者による中国思想の通史としては、他に類書がない。中国における哲学の展開について概観するためには格好の書物である。多くの原典を正確に読みこんでおり、漢文訓読による理解とは異なる風光が見えてくる。

中島隆博『荘子――鶏となって時を告げよ』(岩波書店、二〇〇九年)……『荘子』を「物化」という観点から読み直したもの。世界論や魂論だけでなく、現代の言語論や倫理学との格闘についても参考にしていただきたい。

山内志朗『湯殿山の哲学――修験と花と存在と』(ぷねうま舎、二〇一七年)……ヨーロッパ中世のスコラ哲学を通り抜けて、修験道の哲学に逢着したもの。アリストテレスやスコラ哲学における世界や魂の把握の仕方である「エネルゲイア」や「このもの性」を、日本の「花」という概念に重ねあわせた読解は珠玉である。

武田泰淳『司馬遷――史記の世界』(講談社文芸文庫、一九九七年)……世界の複数性に震撼しながら、「人間天文学」としての歴史を『史記』に見いだしたもの。「わけもなく自壊する」世界の相を見すえた上で、「喪家の狗」としての孔子が切り開いたあたらしい人間のあり方を論じている。

第5章　古代インドにおける世界と魂

赤松明彦

1　世界哲学史の中のインド哲学

†哲学とサンスクリット、そしてインド哲学

今から一〇〇年ほど前、ドイツ、キール大学の哲学の教授であったパウル・ドイッセン（一八四五〜一九一九）は、インド哲学研究でも多くの先駆的な仕事を残した。彼は、『一般哲学史』二巻六冊（全七分冊、一八九四〜一九一七年）を著したが、第一巻の三冊で「インド人の哲学」（第三冊目の最後で補遺として「中国人と日本人の哲学」についてわずかに触れている）を扱っている。「世界」という視野から「哲学」を問い直すのが、本書『世界哲学史』のこころみであり、「世界哲学史」の中に古代インドの「哲学」を位置づけようとするのが、本章の目的であるから、ここではまずその先駆者であるドイッセンの構想を簡単に見ることから始めたい。

いまではドイッセンの名を知る人はそれほど多くないだろう。しかし明治の日本ではよく知られた名前であった。夏目漱石の『吾輩は猫である』に登場する東洋学者の八木独仙の名がドイッセンに由来するのではないか（杉田弘子『漱石の『猫』とニーチェ』白水社、二〇一〇年）とも言われている。

そのドイッセンの自伝によると、まるで二人の恋人の間を行ったり来たりするように、哲学とサンスクリットの間を揺れ動いていた彼に、全く突然に霊感が降りてきたかのようにして次の考えが浮かんだという。一八七三年一一月一四日、ドイッセン二八歳。ジュネーブで哲学とサンスクリットの私講師となり、大学教授としてのキャリアを開始した時のことである。

「私はサンスクリットに対して大いなる喜びをまさに感じている。しかしまた決して哲学をやめることも出来ない。それならば、どうして、サンスクリットと哲学の両方の線が交差するその場所に私の生涯の家を建ててはならないであろうか」（『わが人生』一六五頁）

そして続けて言っている。「自分の創作力を、インド哲学の研究に捧げてはならないなどということがどうしてあるだろうか」（同上）と。つまり、サンスクリット研究と哲学の両方が交差する場所に彼が建てた生涯の家とは、インド哲学の研究であった。

一八世紀末、ヨーロッパでは、ロマン主義の潮流の中で、一挙にサンスクリット研究が開花した。一九世紀のなかばにもなれば、ヴェーダやウパニシャッドの翻訳がなされ、サンスクリットのテクストの出版も数多くなされて成果が次々に生み出されていた。しかしながら、「インド哲学」に関して言えば、それへの知的関心は多分にオリエンタリズム的な色彩を帯びたものであった。ヘーゲル（一七七〇～一八三一）のインドに対する視線もそのそしりをまぬがれないだろう。

ドイッセンは、しかしその次の世代に属している。一八六四年、ボン大学に入学後、哲学と神学そして文献学を専攻し、同時にサンスクリットを学び始めるのである。彼は、『一般哲学史』序論（第一巻第一冊、三六頁）の中で、インド的な世界認識の方法に利点があるとすれば、それは、自分たち西洋人が、その宗教と哲学の全般によって堅固で一方的な偏見の中に閉じ込められていることに、それが気づかせてくれることだと書き記している。そして、冷静に次のように言っている。

「ヘーゲルが、ものごとを把握するのに唯一の可能で理性的な方法として作り上げたのとは全く別の方法があり得るということに、それは気づかせてくれる」と。

ドイッセンは、ヘーゲルのものの見方を批判する程度には、自らの視線に意識的であったのである。そこでここでは、彼が、その『一般哲学史』においてインド哲学をどのように位置づけていたかを、まず見ておくことにしたい。

†『一般哲学史』におけるインド哲学

インド哲学に関わる『一般哲学史』第一巻の各冊の構成を概略書き出してみると、次のようになる［原著では、大見出しにあたる章名には番号がふられていないが、以下では便宜的にふっている。また章のタイトルは、原文通りである］。

第一冊「ウパニシャッドに至るまでのヴェーダの哲学」（全三三六頁）
インド哲学の第一期
　第一章　讃歌の時代（『リグ・ヴェーダ』）
インド哲学の第二期（前半）
　第一章　ブラーフマナの時代
第二冊「諸ウパニシャッドの哲学」（全三六八頁）
インド哲学の第二期（後半）ブラーフマナの時代の発展と終焉
　第一章　諸ウパニシャッドの哲学
　第二章　ウパニシャッドの体系Ⅰ——神学、あるいはブラフマンについての教説
　第三章　ウパニシャッドの体系Ⅱ——宇宙論、あるいは世界についての教説

第四章　ウパニシャッドの体系Ⅲ――心理論、あるいは魂についての教説
第五章　ウパニシャッドの体系Ⅳ――救済論、あるいは魂の輪廻と解脱の教説、ならびに解脱への道（実践哲学）
第三冊「ヴェーダ以後のインド人の哲学」（全六七〇頁）（＋補遺四五頁＋索引一三頁）
インド哲学の第三期――ヴェーダ以後の時代（前五〇〇年頃～後一五〇〇年頃）
第一章　叙事詩の時代の哲学
第二章　叙事詩の時代の哲学への補遺　仏教
第三章　哲学の諸体系

ドイッセンはここで、インド哲学の時期を、第一期ヴェーダの時代、第二期ブラーフマナとウパニシャッドの時代、第三期ヴェーダ以後の時代の三期に区分している。

インドの歴史を、ヴェーダ期とヴェーダ以後の時期に区分すること、そしてその境界を前五〇〇年頃に置くことは、今日でも妥当な見解である。インド文明は、前五〇〇年頃に二度目の大変革期を迎えたと考えられている。一度目は、前一五〇〇年頃、すでに衰退しつつあったインダス文明が、新たに西北部インドに侵入してきたアーリア人によって滅亡へとむかわされた時期である。その後アーリア人は、インダス川上流から徐々にガンジス川流域を東へと移動し、

定住していったが、彼らが保持した聖典がヴェーダであった。

ヴェーダと呼ばれる聖典群は、『リグ・ヴェーダ』などの主要部分と、付属文献としてのブラーフマナ、アーラニヤカ、そしてウパニシャッドから成り立っている。『リグ・ヴェーダ』は、もっぱら神々に対する讃歌の集成であるが、その末期に成立してきた第一〇巻には、「哲学的」と言ってもよいような思考が見られる。ドイッセンは、それを以て「インド哲学の第一期」とした。

次のブラーフマナの時代には、ヴェーダ祭式の世界観を土台にした独特の思考法の展開が見られる。そしてその思考法が、「梵我一如」という最高原理をめぐる哲学として語られたのが、ウパニシャッドである。最古のウパニシャッドである『ブリハッド・アーラニヤカ・ウパニシャッド』や『チャーンドーギヤ・ウパニシャッド』が生み出されたのが、前七〇〇年から前五〇〇年頃であった。これが、「インド哲学の第二期」である。

†ヴェーダ以後のインド哲学の展開

前五〇〇年頃、インドは大変革期を迎える。都市が成立し貨幣経済が発達すると、王権が伸長するとともに、富を蓄積した富裕層の力が大きくなってくる。それは、ヴェーダ祭式の執行権を独占して宗教的な権威を保持していたバラモン（祭官）階級の地位を、相対的に弱めることなり、ヴェーダの勢力圏外に新たな思想家や宗教者が生まれることを許すことになった。こうして現れてきたのが、仏教の開祖ガウタマ・ブッダや、ジャイナ教の開祖マハーヴィーラである。この時期はまた、今日に至るまでインドの宗教の主要な部分を占めているヒンドゥー教が成立してくる時期でもあった。そこに共通して見られるのが、「輪廻《りんね》」（生の循環）と「業《ごう》」（因果応報）の観念であり、人生の最高目標として願われる「解脱《げだつ》」（輪廻の苦しみからの解放）という理念であった。

ドイッセンは、この時期を「インド哲学の第三期」とした。彼は、その中で、「叙事詩の時代の哲学」と「仏教」と「諸哲学体系」を扱っている。ウパニシャッド以後のインド哲学の展開として、「叙事詩の時代の哲学」にひとつの章を設けて論じたのは、ドイッセンの慧眼と言える。

「叙事詩」、すなわち『マハーバーラタ』は、全一八巻一〇万詩節からなる世界最長の文学作品と言われるものである。そこでは、バラタ族の争いが主題として語られ、それに無数の挿話が加えられている。テクストは、吟遊詩人による口頭伝承によって多くの年月を経て作り上げられた結果、各巻各章各節ごとでも成立の時代層が複雑に積み重なっている。古い層は前四世紀頃に成立したと思われるが、全体のかたちが現在のようになったのは、後四世紀頃と考えられる。

ドイッセンは、『一般哲学史』第一巻第三冊の出版に先立って、この『マハーバーラタ』から四つの部分を選んでドイツ語に翻訳し、『マハーバーラタの哲学的テクスト』(一九〇六年)というタイトルで出版している。中でも『マハーバーラタ』の第一二巻に含まれる「モークシャ・ダルマ」章では、随所に、後にインド哲学の諸学説として展開することになる様々な思想が各種の対話・論争のかたちで萌芽的に語られている。ドイッセンはそこにインド哲学の移行期の姿を見いだしたのである。

次いで、「インド哲学の第三期」に含まれるものとして、インド哲学の諸体系についても述べている。主要な哲学派以外の諸学説については、インドで一四世紀に作られた綱要書を翻訳するかたちで紹介する一方で、いわゆる「六派哲学」については、各派の根本教典(経)に基づいて論述している。ここでいう「六派」とは、ヴァーイシェーシカ(要素分析)、ニヤーヤ(論理)、ミーマーンサー(推察)、サーンキヤ(枚挙)、ヨーガ(精神集中)、シャンカラのヴェーダーンタ説の六つである(ここでの六派の順序は、ドイッセンの叙述の順番による)。

これらの六派は、いずれも多少なりともヴェーダの権威を認めるということにおいて、「正統派哲学」とみなされており、通常「インド哲学」と言えば、もっぱらこの「六派哲学」についてその思想史を論述するのが一般的である。しかしこれらの全体を「インド哲学の第三期」としてひとまとめに扱うことは、今日から見ればかなり無理があると言わなければならない。

ドイッセンの時代区分は、そのような意味で資料的にはまだまだ不十分な時代の制約を受けた産物であった。

ところで、ドイッセンの章立てをもう一度見直して見ると、ウパニシャッドの体系のⅡとⅢの章において、「世界」と「魂」が出ていることに気がつくだろう。つまり、古代インドの哲学の特質を、ウパニシャッドにおける「世界」と「魂」をキーワードにしてここで論じるのは、妥当なテーマの立て方だと言えるだろう。そこで、次節では、このテーマを出来るだけ原典によりながら論じることにしたい。

2　世界と魂について

†インド的哲学の技法

前節の終わりで、「原典によりながら」と言ったのには理由がある。古代インドの哲学について単に概論的に述べるだけであれば、その内容は、表面的には、おそらく古代ギリシアの哲学とそれほど違ったものではないと思われるからである。原典を示し、そこでの思考法や議論の仕方を見てこそ、おそらくインド的な「哲学」のあり方を理解することが出来るだろう。そういうことを知ってもらうために、以下では、限られた紙数の中ではあるけれども、比較的長めに文章を引用して、その特徴を見ることにしたい。

インドの「哲学書」(「ダルシャナ」、あるいは「シャーストラ」)と呼ばれるものの最大の特徴は、その哲学の技法にある。基本的に、それは対話のかたちで展開される。著者はまず主題についての自らの考えを提出する。次にそれに対する反論が提出される。反論は、実際に別の論者によって提起されたものであったかもしれないし、著者が想定した反論であるかもしれないが、とにかく主張に対する反論が提出されるのである。主張と反論が繰り返され、時に主張と反論が入れ替わったり、途中から別の論者が加わったりして、議論が展開していく。仮の結論が出され、それがまた批判され、応答が続き、最後に「定説」と呼ばれる結論が確定する。

このような議論の方法は、ヴェーダ以来の、言葉による謎かけ合戦や神学問答の伝統を受け継いだものであるが、長年の間に形式は整えられ、後には論理学が生み出されたりもしている。インドの「哲学書」の大部分はそのような対話体あるいは論争形式で展開され、一人の思想家がある主題について自らの論理的な思考の過程をつぶさに叙述するようなテクストはほとんどない。これが、インドの哲学書の技法の最大の特徴だと言えるだろう。

そしてもうひとつの特徴として挙げうるのは、そうした対話あるいは論争を生み出す多様な世界観が、インドでは古代から存在しており、それらの共存を許していたということである。

前五〇〇年頃が古代インドの変革期であったことはすでに述べたが、その頃の思想状況は、古代ギリシアのソフィストや古代中国の諸子百家の時代にも匹敵する百家争鳴の状況であった。初期の仏典には、当時の思想家たちの活動が、「六師外道」（六名の異端的・非仏教的考えを説く者達）の姿としていきいきと描かれている。

叙事詩『マハーバーラタ』で語られる様々な対話・論争もまた同様である。様々な考えをぶつけ合い、論理的な思考の合理性を競い合うことによって、古代のインド人は真理に近づこうとした。もちろんその議論には、それぞれの学派の伝統的な考え方（ドグマ）に縛られたものもあった。しかし彼らは、そのドグマを多様にぶつけ合い、合理的な論理の形式的枠組みを共有しながら議論することができるほどには、自由であったのである。この「インド的寛容」と時に呼ばれる姿勢もまた、古代インドの哲学技法の特徴と言うことができるだろう。

†「魂（アートマン）」とは何か

それでは、まずは「魂」が、インド哲学においてどのようにとらえられてきたかを見ることにしよう。ウパニシャッドの中心思想が「梵我一如」であることは、誰もが認めるところである。「梵（ブラフマン）」すなわち宇宙の最高原理と、「我（アートマン）」すなわち個人（個体）の原理とは本質的に同一であるという思想である。「アートマン」をこのように「我」と訳すの

マウリヤ朝時代のインド（紀元前３世紀頃）

は、仏教の経典が漢訳され始めた頃（三世紀）からの伝統である。近年では、「我」に代えて「自己」とか「自我」とかと訳しているが、その内容は基本的には変わらない。

一方、「アートマン」を「魂」と訳すことは、日本のインド哲学の研究書や論文ではまず見られないことである。欧米では、「魂（soul, Seele, âme）」を「アートマン」の訳語とすることは普通に見られ、「魂」とするか「自己、自我（Self, Selbst, Soi）」とするかは、それぞれの訳者が理解する「アートマン」という語の文脈における意味の違いによっている。ただし、「魂」と「自己」と「アートマン」が概念として同一であるというわけではない。以下に見るように、「アートマン」には「魂」の側面と、「自己」の側面があり、この二つの概念が重なる場合もあるだろうということである。

ともあれ、本章では、テーマである「魂」に対応するものとして、サンスクリットの「アートマン」をまず想定した上で、議論を進めることにしたい。したがって、以下では、「アートマン」という語をもっぱら使用するが、読者には、それを「魂」と置き換えてみて、そこで両概念が重なる点、またずれる点を確認しながら読んでもらいたいと思う。

「アートマンとは何か」という問いは、ウパニシャッドにおいて繰り返し問われる問いである。前六世紀以前に成立していたと考えられる最初期の代表的なウパニシャッドである『ブリハッド・アーラニヤカ・ウパニシャッド』では、ヴィデーハ国の王ジャナカに「アートマンとはどのようなものか」と問われた哲学者ヤージュニャヴァルキヤが、次のように答えている。

「認識から成り、諸機能のうちに、［また］心臓に存在する内部の光であるこの神人（プルシャ）であります。彼は［この世界にも、かなたのブラフマンの世界にも］共通ですから、両世界を往来します。……実に、この神人は、［この世に］生まれて身体を得ると、さまざまの罪と結びつけられ、彼が［身体から］出ていって［この世の生から］決別するとき、罪を捨て去るのであります」(第四章第三節七。服部正明訳「自己(アートマン)の探求」、『世界の名著1 バラモン教典 原始仏典』所収)

同じく『チャーンドーギヤ・ウパニシャッド』の第八章には、神々の代表インドラと悪魔たちの代表ヴィローチャナが、真のアートマンを知るために造物主プラジャーパティのもとを訪ね、修行するという話もある。そこでは、百年間の修行を終えたインドラだけが、「死すべき身体は、不死の、身体をもたないアートマンの拠り所である。……完全なアートマンは、不完全な身体を捨てて、ブラフマンの世界を獲得する」と教えられている。

†「魂(アートマン)」の存在論証

ウパニシャッドにおいては、このように神話的な色彩を残しながらも、アートマンが、個人存在の原理として認識に関わる主体であり、この世では身体を拠り所としながらも不死性をもつ実体と考えられていたことがわかるだろう。「アートマンとは何か」と問うことは、彼らにとっては、その存在を疑うためのものではなく、永遠の原理、不死の実体としてのアートマンについて真に知りたい、そして宇宙の最高原理であるブラフマンとの一体化を自ら直接的に体験したいという願望を表すものであったに違いない。

しかし、前五〇〇年頃ブッダが現れ、「無我」を強力に主張したのである。すなわちアートマンの存在を否定する主張である。アートマンを否定的にとらえる観念がなぜ生まれてきたかについては、次節で簡単に触れることにしたいが、ともかく、仏教が主張した「無我説」は強力であった。ヴェーダの権威は失墜し、永遠・不滅の実体の存在などはもはや信じることが出来ないという時代の風潮も影響したかもしれない。そのような中で、正統派の哲学者たちは、神話によるのではなく、論理によって、アートマンの存在を論証しようとしたのである。

「アートマンの存在論証」は、論理学を拠り所に哲学的な議論を行ったニヤーヤ学派において伝統的に試みられてきた。学派の根本教典である『ニヤーヤ・スートラ』の成立は、後三世紀～四世紀頃と考えられている。その後、一〇〇〇年以上もその伝統は続いている。神話的な色彩を脱した論証の初期のかたちは次のようなものであった。

『ニヤーヤ・スートラ』は、全体が五篇で構成されている。その第一篇では、諸々の項目について、短い文句による定義的な説明（定句）が与えられている。そこでは、アートマンは、存在のカテゴリーのひとつである。そして、その注釈において、アートマンは、「すべてのものを認識する主体、あらゆる事柄を経験する主体、［すなわち］すべてを知る者、あらゆるものの経験者である」と説明されている。続く定句が、アートマンの存在論証に関わるものである。

欲求・嫌悪・意志的努力・快感・不快感・知識は、アートマンの〔存在を示す〕徴表である。（定句一〇）（服部正明訳「論証学入門」、『世界の名著1　バラモン教典 原始仏典』所収）

「徴表」とは、それを理由としてそのものの存在を論理的に立証するための特徴的なしるしのことである。つまり、「人には欲求がある。だからアートマンは存在する」と言っているのである。誰もアートマンを見たことがない。アートマンの存在は目によっては認識されない。つまり直接的な知覚によっては認識されない。存在するなら知覚されるはずだが、アートマンは、知覚されないのだから存在しないことになる。しかし、聖典には、繰り返し「アートマン」が語られている。聖典によってしかその存在は知ることができないのか。そこで、彼らは、「欲求」という内的な経験を根拠にすれば、論理的にその存在を立証できると考えたのである。

注釈は、「欲求」ということをさらに詳しく考察しているので、その注釈を踏まえて説明してみよう。目の前に美味しそうなリンゴがある。この対象（リンゴ）に対していま「食べたい」という欲求」があるということは、過去の対象（以前に食べたリンゴ）についての経験（美味しかった）に基づいて、いまある対象（目の前のリンゴ）に対してそれが欲しいという「欲求」があるということである。あるいは、過去の経験を記憶していまそれを思い出しているということである。そこには過去の経験と現在の欲求をつなぐ同一の主体が存在しているに違いない。

要するにここで論証されているのは、人が一個の同じ人間として生きていくには、時間変化の中でも変化することのない自己同一性の基体がそこに存在しなければならないということであり、それが「アートマン」である、ということである。ちなみに、「自己同一性」、つまり「それと同一であること」を意味するサンスクリットの語は、「タードアートミヤ」である。この抽象名詞は、「タッド・アートマン」、つまり「それをアートマンとする」という形容詞から派生した語である。

以上見てきたことによって、アートマンには、永遠不滅の実体としての「魂」という側面と、自己同一性を保持する主体としての「自己」という側面の二つの側面があることを確かめた。前者については、ウパニシャッドを参照し、後者については、ニヤーヤの論証を参照にしたが、ウパニシャッドからニヤーヤの学説までの間には、千年近い開きがある。この間、アートマンに関しては、実に様々な思索が繰り広げられてきた。それを確かめるために、次に、ドイッセンによって「過渡期の哲学」と位置づけられていた叙事詩の哲学において、どのようにアートマンが語られているかを見ることにしよう。

3 叙事詩における「魂について」

†輪廻の主体としての「魂」とその受肉

叙事詩は基本的には倫理的・教育的な目的をもった語りの文学作品であり、公共の場で吟遊詩人（説教師と言ってもよい）によって唱《うた》われたものである。彼らは、世界（共同体）の内部で個々の人間が実践すべき生活の規範や目的を様々に語るが、それらの説は、彼らが行く先々で聞いた当時流布していた多種多様な教説であっただろう。

そのような叙事詩の代表的作品である『マハーバーラタ』の第一二巻にある「モークシャダルマ」章には、「アートマンについて（アディアートマ）」をテーマとする章がいくつも含まれている。この章の成立の時期は他の章よりは遅く、最も新しい層に属するテクストだと考えられている。哲学的と言ってよいような議論や対論を特に多く含んでいるが、宇宙論的、生成論的な言葉使いが特徴である。たとえば、この世での死において身体を離れたアートマンが、どのようにして新しい身体に入り、再び世界と関係を結ぶのかの過程が次のように語られる。

アートマンは［人の死に際して］身体を放棄し、見られることなしに、別の身体に入り込む。彼は、身体を［五］大元素（虚空、風、火、水、地）へと解体した後で、それからまた、それ（五大元素）を拠り所にした［別の］身体を保持するのである。彼は、身体をもつもの（シャリーリン）として、虚空、風、火、水、地［の五大元素を］直接的に占有している。聴覚器官（耳）などの五つ［の感官、すなわち耳・皮膚・眼・舌・鼻］は、それら［五大元素］の特質［すなわち声・触・色・味・香］を対象にする。［それらの五官は、］それぞれの対象［である特質］に作用するときに、それぞれを生み出すのである。……五つ［の特質］は、五大元素（虚空、風、火、水、地）に依存する。また一方で、感官の対象［である五つの特質］は、［五つの］感官に依存する。これらのすべては、心（マナス）から生まれてくる。心は、理性（ブッディ）から生まれてくる。理性は、［身体をもつもの（個我）の］本性から生まれてくる。そこ（本性）には、［前世で］行った善悪の行為の結果（カルマン）が［潜勢力として貯蔵されて］ある。他ならぬその行為の結果を、［その本性から］自分自身の［新しい］身体の内に、連れ戻すのである。善悪の行為の結果もすべて心から生まれてくる。それはちょうど、魚が、［生存に］適した川の流れから生まれてくるのと同じである。

［不動・不変の最高存在が、］あたかも動くものとして視界に入ってくる。また、微細なものが、大きなもののように現れてくる。また、見かけの姿をあたかもそれ自身の姿として見せ

る。そのようにして、最高存在（パラ）は、理性の認識の範囲内に入ってくるのである。

（『マハーバーラタ』第一二巻一九五、一八〜二三、中略）

本文前段では、「アートマン」という語の代わりに、「シャリーリン」という語が使われている。「シャリーラ（身体）をもつもの」という意味である。「身体」と言っても不可視の微細な身体であるが、それは「受肉した魂」として、物としての粗大な身体との対比的関係を明確に示しており、「個我としての魂」の特質をはっきりと表す語であると言える。一方、後段では、この「シャリーリン」と対比的に「最高存在（パラ）」が言われている。これは、最高原理としてのアートマン、つまり身体を離れたアートマンを指している。したがって、本性的に不動不変・微細な魂（アートマン）が、身体をもって、物質界に入り込むことによって、動・粗大な見かけの姿をとって世界に現れてくるということを、この本文全体では言おうとしているのである。

しかしまたこの本文は、輪廻の中の自己同一性を説明するものとしても読まれなければならないだろう。魂（アートマン）は、生まれ変わって新しい身体を得たとしても、輪廻する限りはその主体として、前世における主体と同一のものとして、世界と関係をもたなければならない、さもなければ因果応報の理法は無意味となり、道徳律が壊れてしまう。この世での行為者とその行為の結果を別の世で受けとる享受者は同一でなければならないのである。「本性にある行為の結果を新しい身体の内に連れ戻す」とはそういうことである。叙事詩の哲学は、このように、道徳と宗教とが入り混じったもので、言葉使いも曖昧で用語が定まっていないこともあるが、ともかくも「自己同一性」の問題を解決しようとする意図をもったものでもあった。

†認識の主体としての「魂」

右に訳出した引用文で、「から生まれてくる」は、原文を字義どおり訳せば、「の後からついてくる」である。アートマンが徐々に粗大な形をとりつつ現れてくる過程で、アートマンの後から理性が、理性の後から心が、心の後から五官が生まれて、現象界へと下りてくるイメージである。ここには、目に見えない微細な原理から心的なはたらきをもった諸器官を経て、粗大で物質的な実体へと生成する世界の展開過程が生成論的に語られていると言えるだろう。次のような論述もある。ニヤーヤ学派による自己同一性の論証については先に見たが、その前段階の議論のように見えるものである。

実に、「地としては」一つの同じ味（特質）をもつ大地が、「その地に育つ」あらゆる薬草の本性に随伴するように、同様に、ひとつの同じ理性が、「過去の多くの」行為の結果を引き連れて、個我に随《したが》って［対象を］知覚する。何ものかを得たいという欲求は、先行する認識から生じる。欲求を先行者として、意図が生じてくる。その意図を先行者として、行為が生じてくる。それから、その行為を原因として結果が生じてくる。［それゆえ、］結果は行為を本性とすると知るべし。そして、行為は［心の内で］認識されるべきもの（意図や欲求）を本性とすると知るべし。心の内で認識されるべきものは、認識を本性とすると知るべし。認識は、現に存在しているものと存在していないものを本性とすると知るべし。そして、認識するという行為のすべて、［認識するという］行為の結果のすべて、心の内で認識されるべきすべての要素（欲求と意図）、すべての行為の結果が消滅するときに、この神聖なよき果報（至福）があるのである。すなわち、認識の対象に固定した認識［そのものとしてのアートマンだけ］が存在するのである。（同、一九九、五〜八）

ここに述べられているのも、やはり生成論である。アートマンの不変の自己同一性は、ここでは因果関係によって保証されていると言うことができるだろう。

†現象世界と自己意識

叙事詩においては、アートマン（魂）と世界の関係は生成論として語られていると言ったが、前々節に引用した本文の後段に出てくる「アートマンは、理性の認識の範囲内に入ってくる」という論述は、言い換えれば、「アートマンは、理性によって見られる」ということを言うものであるから、そこには生成論とは別の観念が働いているということができるだろう。
アートマンという本来不動のものが動くものとして、微細なものが粗大なものとして、本来の姿が見かけの姿をとって、理性によって見られるというのは、存在論ではなく、認識論からアートマンを説明しているということになるだろう。叙事詩では、理性による認識については、次のように語られている。

理性というかたちをとった最高の本性［すなわち、アートマン］は、感官の対象を、同時に完全に見ることはないし、異なる時間に完全に見ることもない。それは知ある者として、その能力に応じて行動する。それゆえに、それは、唯一最高の「シャリーリン」（個我）である。（同、一九六、一後半〜二）

ここで言われているのは、この世で個我として認識の主体となっているのは、最高実在であるアートマンそれ自身ではなく、理性である、ということである。そして、感官の対象である諸存在についての理性による認識は、完全ではないと言うのである。先に、過去からの行為の結果を新しい身体に貯蔵しなおして輪廻を続けるのが、理性のはたらきであると言われていたが、これを認識の問題として言い換えれば、理性が対象を不完全に誤って認識したこと、つまり「理性の過失」が、輪廻の原因であるということになる。叙事詩には生成論とは異なるこのような考え方も見られる。

しかし「理性の過失」、つまり無明を生存の苦しみとその反復である輪廻の原因とするのは、よく知られているように、当時では仏教が強く主張したことであった。世界を意識論的にとらえるというのが仏教の特徴であるが、叙事詩の哲学の中には、そのような仏教的な言説も見られる。簡単に言えば、それは世界について、主体の認識の側から主観的に語るということである。

そのような語りの中で特に顕著に現れてくるのが、自己意識の観念である。もっとも「アートマン」という概念には、最初からそのような側面がなかったわけではない。文法的には、「アートマン」という語は、再帰代名詞としても使われるのだが、自分が自分を認識するという意識の起源を語るウパニシャッドの話を最後に引用しておこう。

原初、アートマンだけが、この世界のすべてとして、人間の姿をとって存在していた。彼は自分のまわりを見回して、自分の他には誰も見ることはなかった。そこで最初に彼は声を発した。「われあり（アハン　アスミ）」と。そこから、「われ（アハン）」という名前（一人称単数の人称代名詞）が生まれた。（『ブリハッド・アーラニヤカ・ウパニシャッド』第一章第四節、一）

これが自己意識（アハンカーラ）、つまり「自分が自分を自己反射的に認識する意識」の誕生を語る創造神話である。叙事詩『マハーバーラタ』の「モークシャダルマ」章には、この自己意識についても言及する箇所がいくつか見られるが、先に見てきた生成論とは異なる文脈においてであり、出自の違いを思わせる。自己意識の拡大は、そのまま「我執」とか「増上慢」といった意識のあり方へとつながるものであり、アートマンの実在を否定する無我論へと発展する可能性をもつ観念であるが、「理性の過失」を、そのような意識論へと展開させる議論もまた、叙事詩にはあったということを、最後に指摘しておきたい。

※文中、［　］は原文にない語句を補ったことを示す。また、（　）は、原語や説明のための言い換えを示す。本文中に引用した訳文についてもこの方針に従って原文を改変した場合がある。

さらに詳しく知るための参考文献

金倉圓照『インド哲学の自我思想』（大蔵出版、一九七四年）……ヴェーダから諸学派の体系までの「アートマン」思想を文献に基づいて正確に、しかもわかりやすく論じている。仏教における我と無我の問題も合わせて論じている。

長尾雅人編『世界の名著1　バラモン教典・原始仏典』(中央公論社、一九六九年)……ウパニシャッドから諸学派の体系、および原始仏典まで、インド哲学を学ぶ上で最も重要な原典を正確でわかりやすい訳によって読むことができる。

辻直四郎『ウパニシャッド』(講談社学術文庫、一九九〇年)……ウパニシャッド全般について知るための古典的基本文献。

服部正明『古代インドの神秘思想』(講談社学術文庫、二〇〇五年〈原本は講談社現代新書、一九七九年〉)……「梵我一如」というウパニシャッドの思想を、神秘思想という観点からわかりやすく論じた本。

中村了昭『マハーバーラタの哲学　解脱法品原典解明』(上・下、平楽寺書店、一九九八年・二〇〇〇年)……『マハーバーラタ』第一二巻「モークシャダルマ」章の翻訳書。茂木秀淳氏もまた、「叙事詩の宗教哲学――Mokṣadharma-parvan 和訳研究」として、一九九三年以来、『信州大学教育学部紀要』ほかに発表を続けている。

第6章　古代ギリシアの詩から哲学へ

松浦和也

1　哲学発祥の地としての古代ギリシア

†「フィロソフィア」という言葉

ある言葉の意味を知りたいとき、それも最も重要な意味を知りたいとき、どうすればよいだろうか。ひとつの方法は、その言葉がどの時代に、どのような背景で、どのようにして生じたかを確認することであろう。この方法を「哲学」に適用しようとすれば、古代ギリシアに遡ることになる。なぜなら、「哲学」と訳されるもともとの言葉は、ギリシア語のフィロソフィア（philosophia）だからである。この意味では、古代ギリシアは哲学という概念そのものに対して、特権的な意義を持っているように感じられるかもしれない。

西洋ではこの言葉は各地域の言語に翻訳されることはなく、ほぼそのままの形で用いられてきた。ただし、日本では事情が異なり、オランダに留学した西周（一八二九〜一八九七）によって「希哲学」と訳された。だが、彼の『百学連環』（一八七〇年）より冒頭の「希」が消え、「哲学」という語になり、その翻訳が中国語をはじめとした東アジア地域にも伝わり、今日でも用いられている。ただし、「希」の消失はわれわれ東アジア圏の人間にとっては不幸な出来事だったかもしれない。フィロソフィアは「愛する、好意を持つ」の意味という動詞フィレオーと、「技の巧みさ」、さらに「知恵」を意味するソフィアの合成語であり、現代の日本語でそのまま訳すならば「知を愛すること」や「愛知」とすることが妥当だろう。そして、「希哲学」の「希」はフィレオーに該当する。「希」をフィロソフィアの訳語から失ったことは、哲学から「愛する」という重要な要素を覆い隠してしまったようである。

この「愛する」という要素が哲学において重要な理由は、その語の誕生の逸話を確認すれば明らかになる。キケロ（前一〇六〜前四三）の『トゥスクルム荘対談集』やディオゲネス・ラエルティオス（後三世紀）が残した『ギリシア哲学者列伝』によれば、哲学の語を最初に用いたのは数学者としても知られるピュタゴラス（前五七二頃〜前四九四頃）だとされる。

最初に「哲学」を用い、自身を哲学者と呼んだ人はピュタゴラスである。彼はシュキオンでそこの僭主であるレオンと対談した。ただし、ポントスのヘラクレイデスは『息の絶えた女』でレオンはプレイウスの僭主だったと述べている。さて、そのときピュタゴラスは神以外には誰も知者ではないと述べた。哲学を知恵と名づけたり、哲学を宣言する者を、魂の完成に達した者だろうと見て、知者と呼んだりするのは早急すぎることであり、むしろ知恵を歓迎する者が哲学者である。（ディオゲネス・ラエルティオス『ギリシア哲学者列伝』第一巻一二）

この逸話は、ピュタゴラスが自身を知者（ソフォス）ではなく、それに「愛する（フィレオー）」を付した哲学者（フィロソフォス）と呼ぶべき理由を語る。知者とはその魂が完成している者であるが、哲学者の魂は完成されていない。そして、真に知者であるのは神のみであるのに対し、人間はその真の知者にはなりえない。ただし、知恵に憧れ、歓迎し、愛することは人間でも可能である。そのような、知者にはなり得ないが、知者を目指すべく生きる人間は「知を希《のぞ》む者」と呼ばれるのがふさわしい。

プラトン『ソクラテスの弁明』中の「不知の自覚」も、知恵と人間、そして神とのこのような関係の中でソクラテスが到達した考え方である。哲学（フィロソフィア）という言葉には、知に関して完全である状態と、われわれ人間の現状との間の距離を自覚し、それでもなお完全な状態へと近づこうとする中で現れる謙虚さと羨望が含まれている。そうであるなら、やはり「愛する、希む」という要素は哲学と哲学者のあり方を摑むためには不可欠だと言わねばならないだろう。

初期ギリシアの哲学者たち

このような哲学の像を現代のわれわれが把握できるのは、ソクラテスやプラトン、アリストテレスといった紀元前の五世紀から四世紀にかけてアテナイで活躍したスターたちが実際に哲学的活動を行うことを通じ、この言葉に豊富な中身を残したことが大きいだろう（本書第7章および第8章参照）。とは言え、彼らより前に、東は小アジア、西はシチリア島までに及ぶ、ペルシアやエジプトと言った東西の先進文明に近いイオニア地方をはじめとしたポリス・都市国家を中心に、すでにさまざまな哲学者たちの営みはあった。

そのような哲学者たちは、以前には「ソクラテス以前の哲学者」と呼ばれてきたが、近年ではこの呼称の含意が問題視され、「初期ギリシアの哲学者」と呼ばれるようになっている。初期ギリシアの哲学者とは、具体的には、タレス（前六二五頃〜前五四八頃）から始まり、ソクラテスの同時代人であるデモクリトス（前四六〇頃〜前三七〇頃）までを指す。「ソクラテス以前」という表現が問題視される理由のひとつは、ソクラテスの同時代人を含むからである。つまり、「ソクラテス以前の哲学者」とはソクラテスの影響を受けていない哲学者のことを指すのであるが、そうであるなら、この表現と内容との間にずれがある。

初期ギリシアの哲学者が残した思索が、ギリシア哲学のスターたちに影響を残したのは確実である。それは、プラトンとアリストテレスの著作中に、折に触れて彼らの名前が登場することからも見て取れる。だが、彼らの思索の全体像をとらえることは難しい。というのは、完全に残った彼らの著作は皆無だからであり、中には著作を残さなかった者もいるからである。

それにもかかわらずわれわれが彼らの思索の成果に触れることができるのは、ギリシア哲学のスターたちに加え、同時代ではヘロドトスや、後世ではキケロやディオゲネス・ラエルティオスらが、自身の著作で彼らに言及してくれているからである。その言及の中には、彼らの著作から直接引用したものもあれば、言い伝えにすぎないようなものもあり、同一の事柄についても異なった情報が伝わっているものもある。

初期ギリシアの哲学者たちの情報は不正確さを含みながらも様々な時代の様々な書き手によって断片的に伝わってきたが、現在においては見通しが良くなっている。とりわけ重要な仕事は、ドイツの古典学者であるヘルマン・ディールス（一八四八〜一九二二）が編集し、ヴァルター・クランツ（一八八四〜一九六〇）が改訂した『ソクラテス以前哲学者断片集』である。この資料集は、それまでさまざまな著作に散らばっていた引用や言い伝えを哲学者ごとに整理し、さらに本人の著作からの直接的な引用である断片と、間接的に伝わる生涯と学説をまとめた報告に分類している。一九〇三年に初版として出版されたこの資料は版を重ね、現在では第六版

トラキア
ビサンティオン
アブデラ
ケドニア
スタゲイラ
フリギア
テッサリア
ラリサ
ペルガモン
レスボス
エーゲ海
エウボイア
リディア
ボイオティア
サルデス
カルキス
デルフォイ
テーバイ
エフェソス
アテナイ
サモス島
コリントス
カリア
アッティカ
ス
ミレトス
アルゴス
ペロポネソス
スパルタ
クニドス
ロードス
クノッソス
クレタ

ペロポネソス戦争時のギリシア世界（紀元前 431～前 404 年）

となっているが、一世紀以上たってその不備が意識されるようになり、新たな方針で編集されたアンドレ・ラクスとグレン・モストによる『初期ギリシア哲学』(二〇一六年)全九巻に代わられつつある。現在、初期ギリシアの哲学者たちに関する文章を引用する際、それぞれの資料集編者の頭文字をとってDK、およびLMと表記し、『断片集』の整理番号を付すのが世界的な慣例となっている(本章はもっとも普及しているDK番号を付す)。

2 誰が哲学者なのか

†原理の探究という哲学観

ピュタゴラスが哲学という言葉を作った、という先の逸話は、実のところあまり信頼されていない。この報告の元になっているのはポントス出身でアカデメイアの成員であったヘラクレイデス(前三九〇頃〜前三一〇頃)であるが、ピュタゴラスが活躍したであろう時代から見ると二世紀近くの年月が経過している。だが、彼以前にこのような逸話を報告している文章はない。

伝統的には哲学の始祖はピュタゴラスではなく、タレスだと見なされる。その理由は、アリストテレスの『形而上学』の記述にある。

最初に哲学した人々の多くは質料という種別の中の原理だけをあらゆるものの原理だと考えた。（中略）。しかし、こうした原理の多さや種類に関して、彼らのすべてが同じことを言っているわけではない。ただし、この種の哲学の始祖であるタレスは、水が原理だと言う。

（アリストテレス『形而上学』第一巻第三章九八三b六〜二一）

初期の哲学者たちの多くはすべてのものの「原理（アルケー）」を求めたが、その探究の始まりはタレスである。ここで、「質料」という言葉はアリストテレスの術語だが、ものが出来ている素材や材料のことである。たとえば、家の質料は石やレンガである。この引用中のタレスの主張とは、世の中にはさまざまなものがあるが、それらすべては究極的には水からできている、ということである。

『形而上学』第一巻を読み進めていけば、アリストテレスが「原理」をキーワードとしてこれまでの哲学者たちを見事に整理しているのを見出すだろう。タレスと同じミレトス派に分類され、ものの原理を空気としたアナクシメネス（前五八七頃〜前五二七頃）、万物流転説の提唱者として知られ、原理を火としたヘラクレイトス（前五三五頃〜前四七五頃）、火・空気・水・土の四元素を原理としながら、生成変化を引き起こす原理として「愛・憎しみ」を付け加えたエンペドクレス（前四九五頃～前四三五頃）、ものの原理の数を無数としつつも、生成変化を引き起こす原理を知性（ヌース）に据えたアナクサゴラス（前五〇〇頃～前四二八頃）、「あらぬ」や「無」があることは不可能であり、不生不滅で単一の「ある」のみがあると主張したエレア派のパルメニデス（前五二〇頃～前四五〇頃）、古代原子論者として知られるレウキッポス（前五世紀）とデモクリトス、数を原理としたピュタゴラス派の人々、そしてプラトン。これら錚々たる面子が、それぞれの「原理」に対する態度と共に紹介されている。

アリストテレスに倣い、哲学者の課題を原理の探究と見なした場合、初期ギリシアの哲学者たちのおおよその流れは次のように整理される。

・ミレトス派——小アジア地域に自然哲学が隆起し、自然界の事物を作る単一の原理を探究した。（タレス、アナクシマンドロス、アナクシメネス等）

・ピュタゴラス派——南イタリアでピュタゴラスが活躍し、その活動を受け、数学探究を行いつつ、数を世界の秩序の原理とした。

・エレア派——南イタリアのエレアにおいて、パルメニデスや（エレア派の）ゼノンが運動否定論を唱え、これまでの自然哲学に対するアンチテーゼを唱えた。

・多元論者たち——エレア派の議論に抗する形で、自然界の事物を作る原理を単一ではなく、

複数とした。（エンペドクレス、アナクサゴラス、デモクリトス等）

以上のストーリーは、初期ギリシア哲学の歴史としてよく描かれる。だが、われわれはこのストーリーのどこに哲学を見出せばよいのだろうか。

†ソフィストたち

原理に関するタレスやエンペドクレスの主張を見ると、彼らは哲学者ではないように感じられるかもしれない。というのは、「ものの原理は何か」、言い換えれば「ものは究極的には何からできているか」という問いは、現代であれば物理学者が扱うような問いだからである。また、多くの場合、アリストテレスは彼らを哲学者と呼ばずに、「自然について語る者」や「自然に関わる人々」と呼ぶ。それゆえ、現在でも彼らは哲学者であっても、しばしば自然哲学者と呼ばれることが多い。

だが、これはまだよい方かもしれない。もしかしたら彼らの考えをばかばかしいと断じ、彼らは哲学者でも科学者でもなく、単なる妄想家だと考える人もいそうである。少なくとも、今日において、「すべてのものは水からできている」とか「世界は火・空気・水・土という四つの元素からできている」とかいった主張を、修辞的表現をあえて選んでいる場合を除いて、まともに主張する人はいないだろう。

初期ギリシアの哲学者は、いかなる意味で哲学者と言えるのか。この疑念を踏み台にすると、彼らの特色をアリストテレスとは異なる視点からとらえることができる。そこで、「ものの原理について何らかの考えを残しておかなければ、その人は哲学者と見なせないのか」と問うことで、歴史の流れに遡ってソクラテスに近い時代から検証していくことにしよう。

『ソクラテス以前哲学者断片集』には収められるが、先のアリストテレスの『形而上学』第一巻には挙げられていない集団がいる。それは、プロタゴラス（前四九〇頃〜前四二〇頃）やゴルギアス（前四八五頃〜前三八〇頃）といった弁論家たち、あるいはソフィストたちである。

職業的知識人・教師であったソフィストは、しばしば詭弁を弄し、ギリシアの社会を堕落させた者として描かれることがある。そのような描写を生む原因のひとつは、プラトンやアリストテレスがまさにそのような人々として彼らを扱っていることにある。プラトンは『ソフィスト』で、一種の虚偽を語る者としてソフィストを定義さえしている。このような評価が妥当なら、ソフィストはソクラテスをはじめとしたスターを際立たせるための敵役としてのみ哲学の歴史に登場することになる。

しかし、彼らには抽象的で哲学的としか思えない議論も残されている。次の引用は、ゴルギアスの『「あらぬ（ない）」について、あるいは自然について』という著作の一節として伝えられる文章である。

もし何かがあるとすれば、「ある」があるか、「あらぬ」があるか、「ある」かつ「あらぬ」があるかである。「ある」があらぬことはこれから証明されることであり、「あらぬ」があらぬこともこれから正当化されることであり、また「ある」かつ「あらぬ」もあらぬことも、これから証明されることである。(DK 82B3)

ゴルギアスは「ある」も「あらぬ(ない)」も、どちらもないことを証明すると宣言している。そして、この引用に続くテクストでは、「ある」の場合、「あらぬ」の場合、「ある」かつ「あらぬ」の場合のそれぞれに実際に証明が与えられている。

プロタゴラスのいわゆる万物尺度説も、この「ある」と「あらぬ」を用いて表明されたものである。

人間はあらゆる事柄の尺度である。「ある」についてはあるということの、「あらぬ」についてはあらぬということの尺度である。(DK 80B1)

このように、「ある」と「あらぬ」の概念は、ソフィストたちの思索の内部に息づいている。この「ある」や「あらぬ」を、「有」や「無」と訳すべきか、「存在」や「非存在」と訳すべきかについては、議論の余地がある。とはいえ、抽象的な概念を用い、論理的に整理して思索を連ねる能力がソフィストにあり、そしてそれは実践された、ということは事実であろう。

そうである以上、タレスをはじめとした自然哲学者よりもソフィストたちの方が、彼らが抽象的な思索を行ったという点を見る限り、はるかに哲学的だと見なす人がいてもおかしくはない。

†エレア派による転機

「ある」と「あらぬ」を用いた思索は、前六世紀のギリシアの哲学者には見られない。ただし、ソフィストたちがこのような思索を独創したのでもない。これらの概念を哲学の文脈に導入したのは、南イタリアで活躍したエレア派と呼ばれる哲学者たちである。

エレア派というと馴染みがないかもしれないが、「アキレウスと亀」のパラドクスを知っている人は多いだろう。俊足のアキレウスはいつまでたっても亀に追いつけない。というのも、アキレウスが亀に追いつくためには、アキレウスは亀が元いた地点にまで到達しなければならない。だが、彼がその地点に達したときにはすでに亀は少しだけ先に進んでいる。それゆえ、アキレウスは亀に追いつくためには、また亀がいた地点に到達しなければならない。しかし、それでもアキレウスがそこに達した時には亀は先にいる。それゆえ、アキレウスはいつまでたっても亀に追いつけない。

このパラドクスを提示したのは、ゼノン(前四九四頃〜前四三〇頃)である。ストア派の始祖のゼノンと区別するために、エレアのゼノンと呼ばれる。このようなパラドクスを彼は四〇以上も作り出したとされるが、その目的は、プラトン『パルメニデス』冒頭の分析を信頼するならば、彼の師パルメニデスの『ある』はひとつである」という主張を援護するためである。「ある」と「あらぬ」をギリシア哲学に導入したのは、このパルメニデスである。ヘクサメトロス(六脚韻)という詩の形で伝えられた彼の思索は極めて難解であるが、特に注目されてきたのは生成変化の否定である。

どのようにして「ある」が後で滅ぶのか。どのようにして生じるのか。もし生じたのであれば、それはあらぬ。もし、いつか生じることになるのでも、それはあらぬ。それゆえ、生成は消し去られ、消滅は聴かれないものになった。(DK 18B8, 19–22)

「ある」は生成も消滅もしない。この「ある」が「存在」を意味すると仮定すると、存在は生成も消滅もしない、ということになる。その理由は次のようなものである。この存在がかつて生成したものであるならば、存在以外のもの、すなわち非存在から生成しなければならない。しかし、非存在とは何ものでもないものである限り、非存在から存在が生じる根拠も必然性もない。パルメニデスの思索は、「ある」と「あらぬ」を用いた高い抽象性と、高度な論理性を有する。

パルメニデスより後の思索は、彼の主張と議論への対応を余儀なくされた。というのは、「ある」が生成変化しなかったとしたら、自然界にはいかなる生成変化もない、という日常経験に反することが導かれてしまうからである。エンペドクレスやアナクサゴラスがものの原理を複数挙げたのも、デモクリトスら古代原子論者が原子と空虚を根底に据えたのも、アリストテレスが質料と形相という有名な概念を提示したのも、「ある」がひとつだ、というパルメニデスの思索の基盤をずらすためである。

他方、パルメニデスが自然界にあるものの原理について、どこまで真剣に考えていたかははっきりしない。「ある、あらぬ」について、その生成変化を否定した後、パルメニデスは「光、夜」を原理として挙げているように見えるが、これらは自然界にみられる生成変化の原理というよりも、われわれがどうして生成変化に関する認識を得てしまうのか、という問題に充てられているからである。

パルメニデスが哲学者と見なせるのは、「ものは究極的には何からできているか」に答える原理について発言をしたことよりも、「ある」に対する論理的かつ抽象的議論によるものである。そして、もし抽象的な議論を行う能力を哲学者の特性と見るべきならば、パルメニデスを哲学の祖と考えることも誤りとは言えないだろう。

3　詩から哲学へ

†詩から哲学へ？

パルメニデスの影響を受けていない初期ギリシアの哲学者たちには、抽象性といった点から見ると劣るように見える。そこで、もし彼らも哲学者であるとしたら、どのような意味でそう言えるのだろうか。この問いに答えるための前段階の問いとして、原理について何らかの考えを残しておきさえすれば、その人は哲学者と見なせるのか、と問おう。

先に引用したアリストテレス『形而上学』の続く記述では、「はじめて神々のことを語った人々」もタレスと同様に考えていたと報告されている。この人々とはホメロス（前八世紀頃）やヘシオドス（前七〇〇年頃活躍）のことを指すと考えられている。もっとも、その考え自体は神話的に書かれている。すなわち、オケアノス（神格化された海）と、テテュス（神格化された河川）が万物の親である、というものである。もう少し『形而上学』を読み進めてみると、「ものは究極的には何からできているか」とは異なるタイプの原理、すなわちものを動かし始める原理について探究した人々の見解が紹介される。その冒頭で、それを探究した最初の人物はヘシオドスではないか、とも述べられる。

とはいえ、彼らは詩人であって、哲学者と見なされないのが通例である。この見方が正しいならば、原理について考えを残していたとしても、それが哲学者である資格を与えるものではない、ということになる。そうならば、「はじめて神々のことを語った人々」と哲学者にはどのような違いがあるのか。

しばしば、ギリシア哲学の形成の経緯は「詩から哲学へ」として説明されることがある。ほかにも、「物語（ミュートス）から論理（ロゴス）へ」、つまり物語や神話的な世界観から論理的で科学的な世界観への脱却として語られることもある。ただし、哲学の誕生の経緯がこのような形で単純化できるかどうかは、現在では多くの疑念が提起されている。この場ではその詳細を紹介することも、その是非を検討することもできないが、いくつか注意すべきことを指摘しておこう。

第一に、哲学の形成の経緯は、叙述の形式が変化したことではない。ホメロスやヘシオドスの作品は、韻律を踏んだ詩として残されている。しかし、哲学的なテクストがすべて詩以外の形式、すなわち散文で書かれているわけではない。パルメニデスもエンペドクレスも詩の形式で思索を残しているからである。それゆえ、散文の発明が哲学の形成に何らか寄与したとしても、かならずしも表現の形式の変化が哲学を生んだ、というわけではない。

第二に、哲学の形成の経緯は、詩で用いられている表現を判明で明快に表現しなおした、ということではない。もちろん、「神々のことを語った人々」の表現は神話的で詩的であるし、ホメロスの『イリアス』で描写されたオケアノスのイメージは、大地が水の上にある、と唱えたタレスの中に残されているように思われる。しかし、その後の哲学の展開で、詩で展開されているモチーフが使われた形跡は多くはない。言い換えると、詩の解釈が哲学を生んだわけではないのである。

第三に、哲学の形成の経緯は、神や精霊といった神的な要素を思索の中から排除していくプロセスだ、というわけではない。たしかに、万物は神々に満ちており、魂を持っているとするタレスの考えから、アナクサゴラスの「太陽は灼熱する鉄塊である」という表明へと至る過程は、神話的な世界観から科学的あるいは唯物論的な世界観へ脱却した変化の好例として挙げうる。しかし、総じて見れば、初期ギリシアの哲学者は神や神的な事柄を語ることを辞めていない。パルメニデスの詩で「ある、あらぬ」の厳密な議論を語るのは女神である。自身が神であることを表明しようとしてエトナ山の火口に自ら身を投げたというエンペドクレスの有名な逸話はいささか戯曲的であるが、哲学者と神々との関係が分断されていないことを示す例でもあろう。そして、ソクラテス以後の、プラトンやアリストテレスも神について語る。そもそも、哲学（フィロソフィア）は神の持つ完全な知恵のあり方と、人間の持つ不完全な知恵のあり方との対比によって説明されるものであった。

†数学から哲学へという物語

ホメロスやヘシオドスを哲学者から除外し、初期ギリシアの哲学者を哲学者と見なせる理由は何か。初期ギリシアの哲学者の共通点を別の側面から見てみよう。

彼らの主張に着目する限り、彼らの語った内容は多様であり、探究の対象も多様である。それを見る限り、彼らが共有する特定の信念があるようには感じられない。しかし、彼らの伝記には数学や天文学上の業績が少なくないことは注目に値する。たとえば、タレスには「タレスの定理」というまさにその名を冠した定理が残っている。おそらく実際に発見したのはタレスではなかったであろうが、ピラミッドの高さを測定したエピソードや、天文観察をしていて井戸に落ちたエピソードは、彼に数学と天文学の素養があったことを示している。彼に続くミレトス派も、タレスから何らかの教授を受けたのであれば、その中に数学と天文学があったことは想像に難くない。実際に、タレスの弟子とされるアナクシマンドロスは日時計を発明して、夏至や冬至、春分や秋分を発見したと伝えられている。

ピュタゴラスとピュタゴラス派が数学を重視したことは言うまでもない。象徴的なことに、「数学」を意味する英語のマスマティックス（mathematics）は、「学ぶ」を意味する動詞マンタノーに由来する「学識」という語であり、ピュタゴラスを継承した一派はマテーマティコイ（学識派）と呼ばれていた。

また、パルメニデスがピュタゴラス派の人物と親交があったという伝承を信じるならば、彼にも数学の素養があったであろう。それを示すように、その弟子ゼノンが提示したパラドクスは無限分割など、数学に関わる。エンペドクレスもピュタゴラス派の一員とされ、アナクサゴラスも獄中で円の正方形化（円と同じ面積の正方形を作図すること）を達成したという逸話が伝わっている。

もちろん、この中には信憑性が薄い報告もある。また、そもそも数学は哲学と区分すべきであろう。しかし、数学や幾何学の実践を通じて、思考の方法を自らのものとすることは、哲学者と見なされるための必須の素養であったのではなかろうか。このことは、プラトンが『ポリテイア（国家）』第七巻の哲学者の育成カリキュラムを数学的学科で構成していることにも示唆される。

ただし、哲学者には数学的素養という共通点があったというだけでは、ギリシア哲学の展開を説明できないだろう。そもそも、もし数学が哲学の基盤となっているのであれば、ギリシアの植民地よりはるかに発展していたメソポタミア地域やエジプトにおいて哲学が萌芽してもよかったはずである。事実、少なくない初期ギリシアの哲学者たちが数学を学ぶためにエジプトに赴いていると伝わっている。

この問いに関しては、これらの地域の数学には証明がなかったのではないかという、いささか衝撃的な事実が手がかりになる。つまり、すでに知られた公理や定理から、新たな数学的事実を発見する営みは、古代ギリシアに独自のものだった、ということである。このようにみれば、哲学者として持つべき数学的素養とは、単純な前提から別の事柄を導き出すことや、その導出のプロセスを検証する、というわれわれがよく知る数学的思考のプロセスであったと考えられる。

†詩から哲学へという物語

初期ギリシアの哲学者が数学的素養を共通の基盤として有していたことが事実だとしても、ギリシア哲学の展開を説明したことにはならない。というのは、数学的思考から得られる帰結は大抵似ているものになると思われるからである。それにもかかわらず、これほどまでに初期ギリシアの哲学者の主張が多様であるのはなぜだろうか。

　この主張の多様性は、そもそも疑ってはならなかった特定の教説がギリシアに不在であったことを意味する。もちろん、師の教えを貫き、師の教説を保持しようとした人々はいる。たとえば、ゼノンは師であるパルメニデスの「ある」の教義を擁護しようとしたし、ピュタゴラス派の一派である「聴従派」は、「学識派」とは異なり、ピュタゴラスの宗教的教説を保持しようとした。しかし、それでも全体的に見れば、初期ギリシアの哲学者たちの軸となるような共通の見解は見られない。

　ホメロスやヘシオドスも同様の扱いを受けたものと思われる。彼らの詩はたしかにギリシア人が共有する文化的基盤である。しかし、これらの詩は『ヴェーダ』や『聖書』とは異なり、「聖典」として扱われてはいない。詩が語る世界と自身の見解の齟齬を問題視した形跡は見られないし、自身の見解が正しいことへの根拠としてホメロスの言葉を用いることはあっても、ホメロスの言葉を絶対視しようとした形跡も残されていない。むしろ、クセノファネス（前五七〇頃～前四七〇頃）やヘラクレイトスはホメロスやヘシオドスの批判者として知られているほどである。つまり、初期ギリシアの哲学者にとって詩で語られる内容は検証の対象にもなり得たのであり、それを否定することも可能だったのである。

　拠って立つ権威の不在は、数学においては公理や定理に該当するような考察の出発点となるような共通の土台がなかったということである。この土台の不在が、初期ギリシア哲学の多様性を生んだのであろう。つまり、考察の出発点となるような原理の探究が、この条件の下ではじめて可能となったのである。そして、ある哲学者の探究の成果はいまだ権威とはならず、その成果自体がさらなる検証の対象となった。ミレトス派における「水、無限、空気」という「原理」の対立はそのようにして生じたのだと考えられる。そして、その検証の中には、パルメニデスのように、われわれが意識しなくても拠って立ってしまっているような土台そのものへの検証にまで及んだ。

このように見ると、パルメニデス以前の哲学者を哲学者と呼びうる理由は、彼らが抽象的な議論を展開したというよりも、詩が語る内容や先立つ諸見解を無批判に権威として扱うことをせずに、むしろそれを検証し、別の可能性を提示した、という彼らの思索に向かう態度にあると言ってもよいだろう。

4 「初期ギリシア」のディレンマ

哲学（フィロソフィア）という言葉がギリシアに生まれたという事実は、初期ギリシアの哲学者たちにその実践の原型がある、という期待を生むだろう。しかし、本節がこれまで見てきたように、その内実とわれわれが考える「哲学」とはずれがあるように感じられるかもしれない。

そもそも、初期ギリシアの哲学者に関する哲学史は、われわれが哲学をどう捉えるか、という問題を孕んでしまっている。アリストテレスの記述を出発点とすることは伝統的ではあるが、それはひとつの選択肢に過ぎない。彼に従うと決めた時点で、われわれは必然的に「哲学」に関する彼の理解に賛同していることになる。もちろん、彼の哲学観が完全に見込み違いとは言えないだろう。原理の探究は、おそらく哲学の活動に含まれるからである。しかし、彼が除外したがっていたソフィストも、ある目線から見れば立派に哲学者として見なしうるし、初期ギリシアからソクラテスやプラトンへの橋渡しの役割がある限り、哲学の歴史で語らざるを得ない。

さらに、彼らに共通するような探究の対象やテーマを見定めることも難しい。たしかに、少なくない初期ギリシアの哲学者は「世界」の原理を探究した。しかし、それが彼ら全員のテーマではないし、ヘラクレイトスやソフィストたちは、むしろ「人間」の原理を探究したと見なすこともできよう。そして、原理を探究したとしても、タレスやヘラクレイトス、エンペドクレスのように「魂」を前面に押し出す哲学者もいれば、「魂」のモチーフが希薄か、ほとんど見られない哲学者もいる。

初期ギリシア哲学に哲学の原型を探すことは、哲学の理解がおぼつかないにもかかわらず、哲学者の資格審査を行わなければならない、というディレンマを抱えている。本章は、抽象的な概念を用いて思索する、哲学的思考の典型として挙げられるイメージとは異なる哲学像を浮かび上がらせようとした。すなわち、権威の不在の中で、数学的思考をひとつの足掛かりとしつつ、基盤となるような土台を模索する活動として、知を希《のぞ》む活動を描写しようとした。だが、これもひとつの哲学観の元で導出された見解に過ぎないだろう。

しかし、それでも確実に言えそうなことは、初期ギリシアの哲学者たちは真理を語る権威として詩を扱わなかった、ということである。詩に対する柔軟で批判的な態度が、この時代に哲学を生むための条件のひとつであったのである。

さらに詳しく知るための参考文献

内山勝利編『ソクラテス以前哲学者断片集』（第一～五分冊＋別冊、岩波書店、一九九六～一九九八年）

……ディールスとクランツによる *Die Fragmente der Vorsokratiker*（第六版）の日本語訳。資料集という性質上、ひとつの物語として通読するのは困難だが、初期ギリシアの哲学者を語るための最重要文献である。二〇一六年にはアンドレ・ラクスとグレン・モスト共編『初期ギリシア哲学』（ロエブ古典叢書、全九巻）の新しい資料集（英語対訳）が刊行されており、今後はこちらと併せて参照される。

ディオゲネス・ラエルティオス『ギリシア哲学者列伝』（上・中・下巻、加来彰俊訳、岩波文庫、一九八四～一九九四年）……紀元三世紀のディオゲネス・ラエルティオスが残した、古代ギリシアからローマの哲学者の学説と生涯を集めた著作。原題は『哲学において著名な人々の生涯と学説』。信憑性が疑われるような滑稽な逸話も多いが、初期ギリシアの哲学者を知るための資料のひとつである。

神崎繁、熊野純彦、鈴木泉編『西洋哲学史I――「ある」の衝撃からはじまる』(講談社選書メチエ、二〇一一年)……通常のギリシア哲学史とは異なり、タレスではなく、パルメニデスから始まるという点に最大の特色がある。副題の通り、エレア派がそれ以降の哲学的思索に与えた影響を見るためには重要な著作。

廣川洋一『ソクラテス以前の哲学者』(講談社、一九八七年/講談社学術文庫、一九九七年)……前掲書とは逆に、哲学の先駆者としてヘシオドスから物語を始め、デモクリトスとプロタゴラスまでを詳細に扱う。アリストテレスによる学説史の伝統、すなわち自然哲学者として初期ギリシアの哲学者を整理するという観点から一定の距離を保とうとする刺激的な名著。

G・S・カーク、J・E・レイヴン、M・スコフィールド『ソクラテス以前の哲学者たち 第二版』(内山勝利、木原志乃他訳、京都大学学術出版会、二〇〇六年)……一九八三年に刊行された *The Presocratic Philosophers: A Critical History with Selection of Texts* (Second Edition) の邦訳。難解な記述に分析的に切り込んでいく姿勢は、初期ギリシア研究の基盤のひとつとなっている。

コラム2　黒いアテナ論争

納富信留

「黒いアテナ」とは、ギリシア神話でオリュンポス一二神に数えられる女神アテナがアフリカ出身で黒い姿をしていたという挑発的な論考と、それが惹起した論争である。問題を提起したのは、イギリス人歴史学者マーティン・バナール（一九三七〜二〇一三）。一九八七年に公刊された『黒いアテナ――古代ギリシア文明のアフロ・アジア的ルーツ（1）古代ギリシアの捏造一七八五〜一九八五』（片岡幸彦監訳、新評論）に始まり、一九九一年刊の『同（2）考古学と文書にみる証拠』（上・下、金井和子訳、藤原書店）、および、二〇〇六年刊『「黒いアテナ」批判に答える』（上・下、金井和子訳、藤原書店）と続く一連の論考に、多くの論者が応戦して活発な議論が展開された。

バナールは、これまで「白人」のものとされてきた古代ギリシアは、エジプト・フェニキアの植民地であり、その起源はインド・ヨーロッパではなくアフリカ・アジアにあったと主張する。古代ギリシアをアーリア人、インド・ヨーロッパ語族の文明としたのは、近代ヨーロッパ、とりわけ一八世紀末からドイツ文献学が広めた「アーリア・モデル」という人種差別的な歴史観であった。バナールは論争を通じて、考古学、言語学、歴史学、神話学などの知見を援用し、この主張を補強していった。実際、古代ギリシア人は自らの文明の起源がエジプトにあるとの見方を抱いており、哲学の祖タレスがフェニキア出身とも伝えられるなど、アジア・アフリカの先進文明との連続性は当然視されていたのである。

金髪碧眼で白い肌だと信じられた女神像を覆すことで、ヨーロッパがアイデンティティを求める古代ギリシア文明のイメージに根本的な変更が強いられ、ヨーロッパ中心主義、白人優位主義が批判に晒された。古代のアフリカに文明があったとする主張も、文明史に対する挑戦となった。他方で、人種差別を告発する過激なメッセージゆえに、強烈な批判や反論も生じた。実際、バナールの議論には強引な論証や証拠の不十分さも指摘され、彼の結論が一般に受け入れられたとは言い難い。だが、西洋文明の起源への自明視を根本から疑う重要な契機となったことは疑いない。

多方面から加えられた批判のなかで、例えば、エジプト学者ヤン・アスマンは一九九七年刊『エジプト人モーセ――ある記憶痕跡の解読』(安川晴基訳、藤原書店)で、「記憶史と事実史の区別」から本質的な問題を提起した(三一〜三四頁)。『黒いアテナ』第一巻は「アーリア・モデル」を記憶史的に見事に脱構築したが、第二巻で突如事実史の仕事に移行してしまった、とアスマンは指摘する。両者の相違への無理解が、想起の歴史に対する安易な歴史批判を生んだのである。挑発的な論争がもたらしたヒントは豊かである。

第7章 ソクラテスとギリシア文化

栗原裕次

1 世界から魂へ

†源流思想のシンクロニシティ

紀元前六〜五世紀頃、世界の各地で今日「源流思想」と呼ばれる知的活動が活発に繰り広げられた。それは、人間の生存を脅かす環境世界の変化に技術的に対応していくよりも、実用から離れて世界そのものの根源的なあり方を原理的に探究する運動であって、その後様々に分岐して現代思想にいたる尽きせぬ源泉となっている。源流思想の中には、世界の根源（アルケー）を問うだけでなく、問う主体自身の知的あり方を問題にするものもあった。例えば、古代中国の思想家孔子の「これを知るをこれ知ると為し、知らざるを知らずと為せ。是れ知るなり」（『論語』「為政篇」岩波文庫・金谷治訳注）という言葉は、対象についての知と不知ではなく、自分が知っているか否かをはっきり弁別できる、自己についての知を主題化している。古代インドの場合、ガウタマ・ブッダは、世界の真理（縁起の法）について私たちが不知（無明）であるがゆえに、悩み苦しんでいる点を指摘し、この不知に気づき、縁起の法を正しく知ることで、悟りの境地に達することができると説いた。世界に関する不知を克服する契機として、自己への眼差しを重んじる教えである。

　また古代ギリシアでは、ヘラクレイトスが世界――「万有（ト・パン）」――を美しい秩序と調和を保つコスモスと捉える一方で、ミクロコスモスとしての「自分自身を探究した」（断片一〇一DK）。そして自己を「魂」として捉え返し、「君は魂の最果てを発見することはできないだろう、あらゆる道に沿って旅したとしても。魂はそれほどに深い理《ロゴス》をもっているのだ」（断片四五DK）と語って、自己と魂のあり方については、平板な世界把握とは違う、深みのディメンジョンを有する立体的な知の形態を示唆している。

　古代の先哲たちの関心がほぼ同時期に、世界から自己・魂へと向かったことは「世界哲学史」の不思議の一つだが、こうした源流思想の共時《シンクロニシティ》性を理解するには、まずもって、それぞれの思想の背景となっている風土や社会体制の違いを認めた上で、異なる環境世界でなぜ類似した動きが生じえたのかを問うべきだろう。一つ一つの個別事例を収集し、各事例独自の由来と本性を丁寧に分析する。こうした作業を積み重ねながら、複数の事例を同一性、異他性、類似性の点で相互に比較することを通じて、全てに共通する何か一つの思考の「型・パタン」を発見できるかもしれない。「世界哲学史」に挑戦する醍醐味である。

本章が取り扱う事例は、古代ギリシアの哲学者ソクラテス（前四六九頃〜前三九九）である。ソクラテスが生きた環境世界は、前五世紀の民主政ポリス・アテナイ（現在のアテネ）だった。世界史の一大事件とも言うべき民主政の興隆を目の当たりにして、彼は民主主義（デーモクラティア）と対決する中で哲学的な生き方を確立し貫き通したのである。本章では、知的活動の源流において、人間が世界と魂・自己にどう向き合ったのかを考えるモデルケースとして、アテナイの民主政に対峙するソクラテスの哲学に接近しよう。

†民主政ポリス・アテナイの理念と現実

ギリシア哲学の系譜から言えば、ソクラテスは自己探究という側面においてヘラクレイトスの真正なる後継者だが、世界を「万物の根源」や万物流転といった自然学的観点から眺めることはなく、彼に帰せられる「自然から人間へ」というモットーが示すように、人間たちの結びつきからなるポリス共同体として捉えていた。彼にとって世界は、知識の客観的対象として向こう側に置かれて観察・分析される自然ではなく、そこで他者と共に暮らし、自分たちの幸福を実現していく生活共同体だったのだ。その意味で、ソクラテスは自然世界から離れて、徹底してポリスという人間世界とともに自己の魂を探究したと言える。

では、ソクラテスの人間世界であるアテナイとはどのような社会だったのだろうか。前六世紀末のクレイステネスの改革によって民主政を成立させたアテナイは、前五世紀にペルシア戦争とペロポネソス戦争を経て、独自の民主政を成熟へと導いた。民主政を支える原理は自由と平等である。成人男子市民は誰しも平等に政治に参加できる自由をもっていた。隣国ペルシアの大王による専制体制とも、同じギリシアのスパルタのような集団統制とも異なる、人類史上初の直接民主政の試みがこの時代のアテナイの最大の特徴だと言える。

しかしながら、アテナイの自由と平等の理念は、現実にはその内部に大きな亀裂を抱え込んでいた。それは、女性や子供、外人、奴隷は非市民として参政権をもたないといった制度上の話ではなく、平等であるべき市民の間で政治に関与する能力差が厳然として存在したという事実問題である。この点を政治の内部に眼を向けることで確認しよう。

当時のアテナイ社会は、それぞれ「男の世界、女の世界」と形容されるように、公的世界と私的世界が明確に分かれていた。政治を司る公的世界の中心には民会、劇場、法廷という三つの空間があり、そこでは多数決の原則から、言葉でもって多くの人々を説得することが何より重視された。ポリスの政策を決定する最高機関である民会では、希望すれば誰でも登壇して意見を表明できても、市民の説得なしには軍事や外交などの決定に与《あずか》れない。演説によって人々に自身の意見を認めさせ、政策を推進できる弁論家が「政治家」とみなされた。また、説得の言葉が、正不正を裁く法廷で大切なのは言うまでもないが、アテナイでは劇場こそがそうした言葉の競演の場だった。とりわけ大ディオニュシア祭では、毎回三人の悲劇詩人が、作品の上演を通じて観客に説得の言葉を投げかけ、優勝を目指して競い合ったのである。

ところで、説得とは人に意見を認めさせることであり、事柄について知っていると思われることである。実際に知らずとも、知の評判こそが重要なのである。ギリシア語には「意見、思われ、評判」を一語で表す便利な言葉がある。英語のオーソドックスやパラドクスの語源の一部となる「ドクサ」である。すると、自由と平等を旨とするアテナイの政治の中心で、ドクサをめぐる説得の言葉をもつか否かにより、二種類の市民が区別されることになる。公的世界で言葉を巧みに操ってポリスに自らの意見《ドクサ》を認めさせて高い評判《ドクサ》を勝ち取る政治家（弁論家）・詩人と、自分自身は説得の言葉を生み出さないが、政治家や詩人の意見を聞いて判定する大多数の人々、すなわち、大衆である。ソクラテスが生きた公的世界は、実のところ市民の政治的格差に根ざした二重構造社会だったのである。

†知恵の教師とパイデイア

当然ながら、民会、法廷、劇場といった公的世界で飛び交う説得の言葉やドクサは、習俗、道徳、宗教を含むポリス文化の全体を反映している。民会ではポリスにとっての益（善）や害（悪）が議論され、法廷では法と慣習に照らして正義の裁定が下される。詩人は英雄やコロス（合唱隊）の言動を通して人間の行為や生き方の美醜を表現する。神々も登場する悲劇の祭典は国家的宗教行事だった。公的に活躍する政治家や詩人は「ポリス文化の担い手」として人間にとって大切な善・美・正義が何か知っているはずだ。大衆の思い《ドクサ》の中では、彼らこそが大事なことに関する知恵の持ち主であって、専門的知識や技術をもつ「専門家」とは区別された、端的な意味における「知者（賢者）」なのである。アテナイの公的世界は、「知者」である文化の担い手たちが数々の知恵の言葉を語って大衆を教育する空間だった。

ポリスの中心で文化の担い手たちが活躍して名声が高まると、裕福な上層市民の子弟が彼らに憧れるようになる。当時、子供や若者の教育の現場は「家（オイコス）」を中心とした私的世界だった。アテナイ市民の子らは、幼少時には両親や乳母から正不正、美醜、敬虔と不敬虔について「これはよし」「これはだめ」と直示的な教育を受け、従わない場合は叱責や体罰で矯正された。学校に通い出すと、読み書きの教師からすぐれた詩人の作品の暗誦を強制されるが、それは登場人物の英雄のようになるためだ。音楽や体育の教育も節制や勇気の徳を身につけるために課せられた（プラトン『プロタゴラス』三二五C〜三二六C参照）。

市民に必要な徳はそのように教育されたが、金持ちの子弟の中には、将来政治に乗り出すため、富力にまかせて家庭教師を雇い、文化の担い手がもつ知恵を獲得しようとする者もいた。家庭教師は、強国となったアテナイにギリシア各地から集まってきたソフィストたちである（本書第6章および第8章参照）。プロタゴラスやゴルギアスといった「知恵の教師」のソフィストは「家」という私的世界で、善・美・正義の教育から始めて、若者が最高度の徳である政治術を身につけるのを約束するが、その内実は主として説得の言葉の使用法である弁論術の教授にある。ソフィストから教育を受けた若者は「知恵」を備えた政治的指導者となって、今度はポリスの公的世界で大衆の説得と教育にたずさわったのである。

ギリシア語の「パイデイア」は教育や教養に加えて文化も意味する。ソクラテスが暮らしていた前五世紀のアテナイでは、公私にわたって、文化の担い手と大衆、子供、若者が善・美・正義や徳をめぐるパイデイアの内部で強固に結びついていたと言えるだろう。パイデイアは、それなしには生きられないが、普段はその存在を意識しない空気のように、日々の生活内で人々の魂を包み込んで養育・教育しながら、ポリスにとって有為な市民を作りあげていく。世界と魂の関係について言えば、ポリスという人間世界がパイデイアを通じて公私ともに市民の魂を形成する、そういう時代だったのだ。

2 民主政ポリスの哲学者ソクラテス

†ソクラテスのセミパブリックな生き方

本章の主人公であるソクラテスはそんな時代に生きた。石工の父と助産師の母の子と伝わるソクラテスは、貧乏ゆえに友人らの世話になりながらも、上層市民として一応は食うに困らない生活をしていたと想像される。政治的には、彼は壮年期に三度重装歩兵として国外に出征したことと、前四〇六／五年に一度だけ民会の準備機関である評議会の議員を務めたこと以外、公的仕事に積極的な姿勢を示さなかった。とは言え、政治嫌いの人に見られるように、私的世界である自分の「家」を豊かにすべく経済活動に精を出したわけでもない。彼は、自身が訴えられた裁判の冒頭で弁明するように、政治的な公的空間でも経済的な私的空間でもない、半公的、つまり「セミパブリック」とも言うべき公共広場の「アゴラ」で専ら話をして時を過ごしていたのである（プラトン『ソクラテスの弁明』一七C、以下『弁明』と略）。ソクラテスは通常二分法的に理解される公と私の間に政治と生活が接して混じり合う閾《いき》的空間を見出し、そこを哲学の舞台としたと言える。

では、ソクラテスが生きたセミパブリック世界・アゴラとはどのような空間だったのか。アクロポリスの麓にあるアゴラは、人々が集まって商取引したり議論に興じたりする開かれた世界だった。ソクラテスはそこで「年少でも年長でも、外国人でも町の者でも」、「金持ちでも貧乏人でも」構わず、「一人一人」と対話を繰り広げる。こうした一対一の対話活動がきわめて政治的意味をもつことは明らかだろう。一人が多くの人に向けて説得を試みる民会・法廷・劇場といった公的世界では、市民なら自由に登壇して言葉を発する平等は保たれていても、現実には、説得の言葉をもつか否かで能力差が存在し、説得力を欠く意見は受け入れられない。文化の担い手という「知者」が大衆に教えを垂れるという一対多の人間関係が支配する世界だった。

それに対して、アゴラでは年齢も国籍も経済状態も問われない。そこでは、商品が通貨と引き換えられるように、当人に備わる属性とは無関係に交わされる言葉と意見《ドクサ》の交換のみに価値があり、一方的に注入するのではない言葉・意見のやり取りが新たに自由と平等を定義する。ソクラテスが作りあげる一対一の人間関係は、対話者の身分や属性を参加資格としないという意味で平等であり、自分の意見や思想、つまりはドクサの表明に制限がないという意味で自由（パレーシア）なのである。民主政の原理である自由と平等はアゴラという政治空間において真に実現する。

だが、なぜソクラテスは自由で平等な対話を実践したのか。彼は政治家としてポリスの変革を企てたわけでは決してない。否、哲学に徹したことが、彼を民主政の哲学者かつ政治家にしたのだ。前三九九年に不敬神の罪状で訴えられた裁判で彼が語る言葉に耳を傾けることで、その次第を明らかにしよう。

†「デルフォイの神託事件」と不知の自覚

プラトンがソクラテス裁判を主題にして著した『ソクラテスの弁明』の記述(二〇C〜二三C)に従いたい。ソクラテス自身はなにも書き著さず、弟子たちの作品で言行が伝えられるからである。

アゴラでのソクラテスの対話はなぜか彼に「知者」との評判をもたらした。友人の一人カイレフォンがその真偽を確かめるべくデルフォイへ赴き、かの地で祀《まつ》られている神アポロンから「ソクラテスより知恵ある者はいない」との神託を授かると、ソクラテスはそれに驚きいぶかしみ、神の言葉を「謎」として受けとめる。神託によれば、ソクラテスは人々の間で最高の知者となるが、彼は自分が知恵をもつなどちっとも思っていないからである。知者でないと自覚する彼が、信頼する神から知者であると認定される。ここに自己のアイデンティティをめぐる問いが生じる。「私は何者か。知者なのか、知者でないのか」――この問いとの格闘が彼を哲学者にする。「汝自身を知れ」という箴言《しんげん》と通ずる、デルフォイの神託との出会いは、彼にとって決定的な「事件」となったのだ。

ソクラテスの場合、「私は何者か」という問いは決して人間に備わる年齢、国籍、経済状態などを問題としない。性差もディオティマやアスパシアといった女性に学ぶ彼はこだわらない。自由と平等の世界アゴラでの対話はそうした属性をすべて無化する。むしろ、諸属性が備わる自己自身、すなわち、魂において「私とはそもそも誰なのか」が、知恵をめぐって問われているのである。魂の同一性を保証し「私が私である」と言える根拠となる知恵とは何なのか。

ソクラテスは知者を探してアテナイ中を歩き回る。知恵があると自他共に認める人々と対話をして、より知恵のある人を発見できたなら、神に反例を突きつけ、自身が最高の知者ではないと回答できると考えたからだ。だが知者とはいったい誰か。彼は、公的なドクサの世界で知者との評判を得る政治家や悲劇詩人をセミパブリック世界へと導き入れ、一対一の対話を試みる。判明したのは、皮肉にも神託のただしさだった。

文化の担い手が知者だと思われる理由は、善や美といった大切なことについて知っているからだろう。知っているなら、善とは何か、美とは何かについて説明できるはずだ。ところがどうだ。政治家はポリスのための善である国益を口にし、詩人は美しい詩句を紡ぎ出すが、どちらもその政策がなぜよいのか、その詩句がなぜ美しいのかを、善や美の定義まで加えて説明することができず、自身の矛盾した信念《ドクサ》を露呈する始末だった。善や美について、彼らは公的世界では大衆を説得し意見を注入することで知者の評判を得ても、ソクラテスの吟味により自らの不知を曝け出したのである。

一方、ソクラテスはどうか。彼自身、善・美について知らないことは認めており、不知という点で文化の担い手と大差ない。しかし重大な違いが存在する。文化の担い手は、知らないのに知っていると思っているのに対し、自分は知らないから、その通り知らないと思っている、言い換えれば、自己のあり方について、彼らは知者でないのに知者だと間違った思いをもっているのに対し、ソクラテスの方は自分が知者でないから知者でないとただしい思いをもっている、という一点で大いに異なっているのだ。ソクラテスは「不知の自覚」（一般に「無知の知」という表現が流布するが誤り）、より厳密には「知者でない」とのただしい自己理解をもつ点で、誰よりもまさって知恵があると言えるのである。

†知恵と哲学（愛知）

ソクラテスは、善・美についての知、つまりは真の意味での「知恵」を神のみに可能とする一方で、知者でないとの自己理解を「人間並みの知恵」と呼ぶ。こうして、彼のアイデンティティをめぐる謎は、真の知恵に関して「知者ではない」が、人間並みの知恵に関して「知者である」と矛盾のない形で解き明かされた。確かに、この世に専門家は数多く、専門領域に属する大切なことを知ってはいるが、善・美という重大事を知る者は誰一人おらず、オピニオンリーダーと大衆にもてはやされる文化の担い手とてその例外ではない。人は皆、神の知恵をもたない点で平等なのだ。アゴラでの対話の平等性は、神の知恵という絶対的基準と比べると人間の意見・ドクサは知恵でない点でどれも変わりがないという事実による。善・美の対話をめぐっては、語り手の属性がどうであれ、意見の多様性が尊重されねばならない。

しかし、このことは知に関して人間の生き方に差異がないことを意味しない。「知者である／ない」との自己理解は魂のあり方として常に人生全体につきまとう。知者でないのに知者だと勘違いして生きる人は、明らかに、人間並みの知恵の観点から、知者でないことを自覚している人よりも劣った生き方をしている。自らが知者だと誤った思い《ドクサ》をもつ文化の担い手はその思いが妨げとなって真の知恵を愛し求めず、知恵に背を向けた学びのない人生を送るだろう。学びを欠く状態を単なる不知と区別して「無知」と呼べば、無知からの解放が惹起する学びは、真の知恵に接近するだけ、人生の価値をリアルに高めていく。そして神のような知者ではないが無知でもない、知恵と無知の中間にいる人が、知ることを愛し求める愛知者、つまり哲学者となって、学びに生きる道を歩み続けるのだ。

ソクラテスが身をもって示した哲学者の生は多くの若者を惹きつけた。彼への告訴状の一部に「若者を堕落させた」とあるが、これは、よく指摘されるように、若い頃に彼と交わり政治家に成長したクリティアスやアルキビアデスがポリスを崩壊寸前に導いたためだろう。残念ながら、彼らはソクラテスと哲学から離れて無知にまみれた人生を送ったが、アテナイの公的世界で文化の担い手と大衆が演じるドクサの猿芝居に嫌気がさした若者が、風通しのよいアゴラで神ならぬ人間の自覚をもち、善とは何か、美とは何かといった大切なことを自由に語り合う生き方に新鮮な魅力を覚えたのは十分ありそうだ。知識注入的ではない何か新しい教育《パイディア》と文化の香りがするからだ。常識《ドクサ》ある大人からは、政治を軽視した「堕落」した生き方と断罪されても、哲学はソクラテスの生と死を介して民主政下での人間の一つの生き方として誕生したのである。

3　魂への配慮

†幸福主義の公理

ソクラテスは、神の如き「知者」を演ずる文化の担い手とその知恵に与《あずか》る大衆がパイディアを通じて形成する市民社会の内部で、哲学という新たなパイディアを実践し、結果として市民に神ならぬ「人間の自覚」を呼び醒ますこととなった。だが、哲学の最終目標は人間の自覚にはない。ソクラテスの場合、彼の人生を決定した神託が「彼より知恵のある者はいない」という比較表現を含む限り、哲学は世界の多種多様な具体的他者と交わりながら、「この私は何者か」、「自己の魂はどうあるのか」を個別に問い求める共同探究なのである。それゆえ、彼の一対一の哲学対話は他者をも探究に巻き込む「自他の吟味」(『弁明』二八E)の形をとり、対話に関わる個人一人一人の魂のあり方を問いただしていく。では、そうした自己探究は真の知恵を愛し求める活動とどう関係するのだろうか。

プラトンが描くソクラテスはたいてい、徳など大切なことについて知っていると表明する「知者」の思い《ドクサ》を吟味している。その思いは、善・美・正義といった価値をめぐる当人の人生観や倫理観を表現するため、吟味を受けた対話者は自身の人生や魂を反省し始める。「吟味のない人生は生きるに値しない」(『弁明』三八A)と語られる中で、とくに善の思いの吟味は切実となる。なぜなら、人がすべての行為を自分にとって「よい」と思ってなす限り、善の思いは確実に、諸行為が構成する人生全体に遍《あまね》く浸透しているのだから。実際に「よい」行為とは他ならぬ自分の人生をよくする、すなわち、幸福にする行為であるため、個々の「よい」との思いは「自分は何者か」といった自己理解や「自身の幸福は何か」といった幸福観と密接に結びついている。したがって、自己や幸福について誤解して生きるなら、多くの場合、個々の行為の選択において間違い、自身にとって「悪い」行為をなして不幸になるだろう。

ソクラテスの哲学は、思いと事実の乖離《かいり》という人間の現実を見据え、その出発点に一つの公理を措《お》く。「人は皆、幸福であることを願っている」という幸福主義の公理である（プラトン『エウテュデモス』二七八E、『饗宴』二〇五A、『メノン』七八A参照）。この主張は証明を必要としない誰もが認める「公理」であって対話の絶対的な前提である。例えば、極悪人ですら自身の幸福を願っているのを認め合うことが、哲学的対話の確固たる基盤となっている。

幸福主義の公理から、人は誰も不幸でいたくないので、自己のあり方を勘違いしたくないし、個々の行為のよさや自分の幸福観のただしさを判定する真の知恵を愛し求めるだろう。「幸せでいたいから、知りたい」は願望の自然な連鎖だ。自己のあり方を知るには、魂を作りあげる「よい」との思いのネットワーク、つまり信念体系《ドクサ》の解明が必要だが、「よさ」をめぐるその解明には、善とはそもそも何かを知る真の知恵を参照することが求められる。自己探究としての哲学が真の知恵を愛し求める活動である所以《ゆえん》である。こうして哲学は、魂の個別性と真の知恵の普遍性の間を行き来する往復運動として特徴づけられる。

†幸福と徳ある魂

個と普遍の往復運動である哲学は、魂の現状を吟味し否定するばかりか、魂を新しく作り変えることにも挑む。哲学は人間であることを自覚させる以上に、今ここに生きる個人、つまり「この私」を創造するのだ。自己探究は、魂としての「この私」が普遍と触れあう学びの中でよく生きることを可能にする。ソクラテスが法廷で「魂を配慮せよ」と最後の呼びかけを試みたのはそのためだった。対話に一生を捧げてきた彼が多くの人々に向けて投げかける説得の言葉は、アテナイ市民のみならず、私たち人類全体への遺言となった。

世にも優れた人よ、君は、知恵と力の点で最も偉大で最も名高きポリスであるアテナイの人でありながら、恥ずかしくないのか。金銭や評判や名誉が自分にできるだけたくさん生じるように配慮しながら、他方で、思慮や真理や魂ができるだけよくなるようにと配慮せず、考慮もしないとは。［中略］金銭から徳が生じるのではなく、徳から金銭やその他のものは皆、私的にも公的にも、人間にとってよいものとなるのだ。（『弁明』二九D〜三〇B）

ソクラテスが別に言及する例も含めると、彼が配慮を禁じている対象は、①金銭・評判・名誉・肉体であり、配慮を勧めているのは、②思慮・真理・魂・徳である。この対比は何を意味するのだろうか。

この呼びかけでソクラテスが「配慮」を私たちの幸福観と結びつけているのは明らかだ。彼は「何を日頃ケアして生きているのか」と問い、金銭や評判を気にかけて生活する私たちを非難する。どれほど金持ちでも、どれほど周囲に賞《ほ》められても、当人に徳が備わらない限り、金銭も名声も決して「よい」ものとならず、幸福な人生を構成しないのだから。だが、そもそも金銭や名声を人生の大事と信じることがどうして間違っているのか。私たちはお金がないと生きられないし、他者から承認される人生は寂しくもなく誇らしいではないか。

二つのグループの関係が重要である。②の中心には「魂」がある。人は肉体に魂が宿ることで生きるようになる——この原初的事実を認めよう。すると、肉体ではなく、魂こそが人を生かす「生の原理」である。魂のはたらきをよくするのが徳だから、徳によって魂は生きることをよくはたらかせる、つまり人はよく生きることになる。人生がよくあること、幸福であることを決定するのは魂をよいものとする徳なのである。これは「福徳一致」の考えである。確かに、人は肉体なしに生きることはできないし、他者と共に生活する以上、金銭も評判も名誉も生きるために必要だ。

だが、①の要素は、それなしには人間が生きることができない必要条件でしかない。金銭等は人生全体の部分として重要なだけで、部分を人生全体のよさと取り違えてはいけない（『弁明』三六C）。ソクラテスは語る。「一番大事に思うべきは生きることではなく、よく生きることだ」（プラトン『クリトン』四八B）。人生全体を担うのは魂であり、①の要素をよく生きること、つまり「幸福」に役立てるのはあくまで魂の徳である。私たちが真に幸福を願うなら、①ではなく、何よりも魂に配慮し徳の獲得を目指して生きるべきなのである。

†思慮と真理

では、②の思慮（フロネーシス）と真理を配慮すべき理由は何だろうか。不知の自覚と一緒にはたらく思慮について考えてみよう。知者でないと意識する人は、思慮深く、今ここでの行為を自分とは何か、幸福とは何かを熟慮しながら選択する。それゆえ、思慮ある人は行為を取り巻く現状のみならず人生全体を見つめ、自分がどういった人生を願望しているのかと未来を展望しつつ、今ここに生きる現在の魂のあり方がどう形作られたのかと過去を振り返って熟考する。過去への遡行は、公と私の二つの世界を支配するパイデイア（文化・教育）がどう自分の魂を形成したのかと自身の来歴を反省する作業となる。そのとき思慮ある人は、自分がいかに世界のドクサ（常識・通念）に染まっているかに気づき、文化の担い手を筆頭に世界中が一方的に自身の魂を造型してきた現実に目眩《めまい》を覚えるかもしれない。

しかし、思慮は一人一人のドクサを分析する哲学の手助けをもつ。既存のパイデイアが異なる歴史・背景をもつ個人を十把一絡げに扱ってポリスに有為な市民に作りあげるのと違い、ソクラテスの哲学的パイデイアは個人を個人として気遣い、魂の実質である信念体系内の矛盾や対立を指摘する。同じ行為がある場面で「よい」と思われても別の場面では「よい」と思われないなら、確かに当人の善の理解は普遍性を欠き説明力も十分ではないが、仮にそれぞれの判断が間違っていない場合、そこには一片の真理が含まれている。ポリスから教育された判断基準としてのドクサ（常識・通念）も、元来、たいていの場合という限定つきで適用可能な蓋然的なものだった。どういう場面でドクサを学んだかを想起し、その限界をしっかり意識して、なぜ別の場面で適用できないのか、適用するにはどうすればよいのかを、善をめぐる真の知恵を参照しつつ慎重に考慮するならば、新しい学びが生まれて適用範囲も拡がるだろう。思慮に配慮すべき理由の一端はここにある。

　思慮のはたらきは個人の人生の反省のみに制限されない。思慮は他者と共に生きる現実世界を豊かにする。他者との意見の対立や衝突こそ、なぜそう判断したのかをきちんと自分の言葉で説明し合いさえすれば、個別状況と普遍的基準を往復する哲学的思慮が発動して、相互のより深い現状把握と普遍の理解にいたる契機になりうるのだ。「真理」に対応するギリシア語「アレーテイア」は、ドクサに支配されて「気づかないでいる（レーテー）」魂の状態が、探究の途上で突然否定される——否定の接頭辞の「ア」の経験——二重否定的な気づきの経験を指す言葉である。ポリスから注入されたドクサを心の奥底で鵜呑みにし、気づかぬままドクサに満ちた世界で市民として市民と共に暮らしていた人に、真理は突如として到来する。それはすなわち、知を愛する者同士が、互いのドクサが対立する理由を対話によって思慮深く解明し、ドクサの支配から解き放たれて、それぞれ「この私」である複数の魂が共生しうる世界の真相に気づく瞬間なのだ。真理への配慮とは、ドクサの世界が共に学び合う世界へと転換する瞬間を大切にする態度に他ならない。

†ソクラテス哲学への応答可能性

さて、ソクラテスの呼びかけに応えて、私たちが魂への配慮を始めるなら、それは取りも直さず、哲学者の生に足を一歩踏み出すことを意味しよう。伝統文化《パイディア》に包まれ育ってきた私たちは常識や通念といった社会規範を疑いにくい日常を送りながらも、意見の対立や衝突を数多く経験する。そうした機会を、社会で優勢を占める意見に同調・順応せずに自分の狭い見方・考え方を拡張するきっかけとして、対話の中で自己と他者をよりよいあり方へと創造していくことが、ソクラテスのラスト・メッセージへの応答となるだろう。それができないなら、知者でないのに知者だと思っているか、ソクラテスの問答法の技術を欠いているか、どちらか（あるいは両方）だ。逆に、人間並みの知恵をもち思慮深く問答法を駆使するなら、それこそ人間としての徳の発揮であるに違いない。これは「徳は知なり」という言い方で表される、知徳合一の理想である。

本章で見てきたように、ソクラテスの哲学が前五世紀の民主政アテナイに固有の風土や社会体制を背景にして誕生したのは間違いないが、それでも彼の思想は、世界と魂の関係一般についてある重要な示唆を与えてくれる。すなわち、私たちの魂は既存の世界によって受動的に形成されるが、哲学の手助けにより、人間並みの知恵と思慮を能動的にはたらかせることで、私たちは共同体の一員にとどまらず、人間かつ「この私」となって、複数の魂からなるよりよい世界を新たに構築し直すことができる、という教えである。

したがって、時空的に遠く離れた私たちがソクラテスに学ぶなら、自らが現に生きる風土と社会背景を丁寧に検討しながら、彼の哲学を活かす道を模索しなければならない。例えば、彼の哲学的企ては、今日風には「ラディカル・デモクラシー」の一形態かもしれない。開かれた公共空間で、市民や国民が一人一人身分も立場も関係なく平等なまま自由に政治イシューを議論して、共同体のあり方をよい方向へと導こうとする、ボトムアップの草の根運動に似ているからだ。だが、ソクラテスがあくまでセミパブリック世界での対話そのものを人生の大事とし、公的活動に積極的価値を見出さなかった点は心に留めておこう。ちょうど身体や金銭に配慮すると魂や徳を気遣わなくなるように、暮らしのために公的世界の改善に熱心になって一対一の対話を疎かにするなら、それは本末転倒なのである。

するとソクラテスの対話を直接の源泉とする「哲学カフェ」の方が、一対一のやり取りを含めるなどの工夫次第で、彼の哲学のすぐれた応用となる可能性が高い。哲学カフェでは、参加資格を問わず、人生や世界の大切なことをめぐって、自由と平等そして一番に楽しむことをルールに会話を交わす。異なる意見の尊重、多様性の尊重は当然だとしても、哲学の可能性を信じる限り、決して相対主義に陥ることはない。なぜなら、参加者に意見の対立や解決困難な問題が生じたときこそ普遍を学ぶチャンスであり、各人は不知を自覚して真の知恵を志向かつ参照しようとするからだ。哲学カフェは、ソフィスト流の「万物の尺度は人間」や「力こそ正義」といった発想から最も遠く隔たった集まりと言える。他にも語り合う場として、カルチャーセンター、読書会、井戸端会議などがある。様々なセミパブリック世界で、私たちが大いに学びを享受し魂の栄養を補給した上で、それぞれの公的世界と私的世界に戻り、世界と人生の全体を哲学的に捉え直そうとするなら、ソクラテス的「愛知」の精神は今なお確実に息づいているのである。

さらに詳しく知るための参考文献

加藤信朗『初期プラトン哲学』(東京大学出版会、一九八八年)……ソクラテスの生と死はプラトン哲学の出発点であるばかりでなく、そのすべてであったと言ってよい。こうした視点から、ソクラテス哲学の根本思想とされる「不知の自覚」「徳は知なり」「福徳一致」等を主題とした四つの対話篇を考察している。

川島重成・高田康成編『ムーサよ、語れ』（三陸書房、二〇〇三年）……ソクラテスの哲学はギリシアの文化・パイデイアの重層的で多様な展開の内に捉えられなければならない。叙事詩、悲劇、歴史など八つのジャンルと影響史という諸相から論述したギリシア文学の入門書。

納富信留『哲学の誕生――ソクラテスとは何者か』（ちくま学芸文庫、二〇一七年）……ソクラテスは何も書かずに死んだ。本書は哲学者ソクラテスの誕生を、彼と周囲の人々との影響関係をつまびらかにしながら描き出している。また本章が取り扱えなかったソフィストの問題については、同じ著者の『ソフィストとは誰か？』（ちくま学芸文庫、二〇一五年）も参照されたい。

桜井万里子『ソクラテスの隣人たち』（山川出版社、一九九七年）……アテナイの市民と非市民の関係について、具体例を取り上げて史料の丁寧な分析により明らかにしながら、歴史学の立場から当時の公と私の捉え方とソクラテスの哲学の連関を解説している。

ハンナ・アレント『政治の約束』（ジェローム・コーン編、高橋勇夫訳、筑摩書房、二〇〇八年）……アレントにとって、ソクラテスという存在が哲学と政治の関係を考えるときの出発点になったのは間違いない。ドクサと真理の関係、複数性の問題、プラトン哲学との緊張関係など、ソクラテス哲学がもつ今日性について刺激的な洞察が展開されている。

第8章　プラトンとアリストテレス

稲村一隆

1　古典期ギリシアの遺産

†哲学と民主政

広く人類史の視点から眺めたとき、古典期（前五世紀～前四世紀頃）のギリシアの重要な遺産には建築や彫刻や悲劇や喜劇などいろいろあるが、「フィロソフィア」と呼ばれた哲学（愛知）を含めた学問もその一つである。その哲学はソクラテスの後を受けて、プラトンとアリストテレスという二人の知的巨人によって特徴づけられる。

もちろん、有名な人を中心に哲学史を描くことには批判も多い。古典期はソフィストと呼ばれる知識人が活躍した時代であり、プラトンやアリストテレスもそうした知的文化の影響を受けている。プラトンは彼自身の理解に即してソクラテスを解釈した人にすぎない。他にアリストファネスの『雲』やクセノフォンの『ソクラテスの想い出』などは別のソクラテス像を伝えている。プラトンやアリストテレスはそれぞれのやり方で特定の方向に当時の知的文化を表現したにすぎない。当時の状況に着目して彼らを理解し直し、相対化することが現在の研究者たちの課題となっている。

しかしプラトンとアリストテレスが人類史に多大な影響を与えたこともまた事実であり、彼らを中心に取り上げることにも理由がある。プラトンはアカデメイアという学園を開き、そこで学んだアリストテレスは後にリュケイオンという学園を開いた。彼らの知的格闘の産物は哲学だけでなく現代の学問にも影響を与えている。

また古代ギリシアの遺産には、前章で説明したように、民主政という政治制度がある。古典期はデロス同盟の盟主であるアテナイでペリクレスなどの政治家が活躍した時代である。アテナイの海洋帝国は、よかれあしかれ、近現代の帝国のモデルとなったときもある。ごくわずかな時期を除いて古典期のアテナイは民主政によって政治が行われた。奴隷制は当然のように存在したが、市民同士の間は比較的平等な関係が築かれ、言論の空間が開かれた。

しかしプラトンとアリストテレスは民主政に批判的である。彼らが重要視するのは、素人に対する専門家、熟練、高度な知識、学問である。例えば医者は、長い時間をかけて勉強し、十分な訓練を経たのちに、人の病気を治すことができるようになる。同様に、政治家は身体の健康よりももっと難しい人間の幸福を配慮するのだから、それ相応の学習と訓練が必要ではないだろうか。

そもそも高度な文明の生活を営むためには必ず分業が要求される。それぞれ自分の特性を生かして特定の職業に従事し、お互いに産物やサービスを交換した方がいい生活を送ることができる。一人の人間が農民にもなり、大工にもなり、料理人にもなり、政治家にもなる能力もないし時間もない。それぞれが自分の専門に特化した方が技術を高度に身につけられるはずである（プラトン『ポリテイア（国家）』三六八B〜三七四D）。したがって高度な文明社会では政治は政治に精通した専門家が行うべきものであって、民主政は狂気の沙汰である。ソクラテスは素人の民衆裁判によって死刑に処せられたのだ。知識を重要視すれば、必然的に民主政と緊張関係に陥らざるをえない。プラトンとアリストテレスの哲学を理解するには現代にも共通するこうした背景をおさえる必要がある。

彼らの哲学の全体系を解説するのは困難なので、本章では知性や魂といったトピックを扱い、哲学に取り組む背景や叙述の形式を中心に取り上げる。民主政的な言論の空間を背景に発展した反民主政的な知に焦点を当てる。逆説的かもしれないが、真の言論空間は彼らの知の理解に基づいて成立するものである。

†古典の共通テクスト

現在の重要な文化として、資料の引用に関して一つ補足がある。プラトンの著作を引用する際には一五七八年刊のステファヌス版プラトン全集のページとAからEの段落づけを示すことが慣例となっている。アリストテレスを参照するときは、一八三一年刊のベッカー版のアリストテレス著作集のページ、欄（左側の欄であればa、右側であればb）、そして行を記すことが慣例となっている。例えば、プラトン『ポリテイア』三二七Aと書いてあれば、ステファヌス版三二七ページのAという段落を参照、アリストテレス『形而上学』九八〇a二一と書いてあれば、ベッカー版の九八〇ページ、左側の欄の二一行目を参照ということである。これはプラトン、アリストテレスのテクストについて議論する際にとても便利な慣習である。現代ではほとんどの翻訳書や研究書にこうした記号が記されている。

日本語訳に限っても、彼らの一つの著作に複数の翻訳がある。そこで特定の人の翻訳書のページを示してしまったならば、他の翻訳書を参照している人はその引用箇所にたどりつくことが著しく困難になる。外国語の翻訳も多くあり、ギリシア語のテクストもいろいろある。そもそも参照すべき一つの「原本」が残っていない。二〇〇〇年以上前に書かれたプラトンやアリストテレスの著作を、印刷技術がないときには書き写すことで人類は伝えてきた。

そうしたテクストをめぐって議論する際に、ステファヌス版やベッカー版という共通の参照点を持つことですぐに同一のテクストにたどりつくことができる。世界中の人が特定の一つの文、一つの単語、それどころか一つの文字をめぐって解釈を交わすことができる。大学の授業や市民講座で議論するときでも、インターネット上で何か調べているときでも、SNSで発信する際にも、同じテクストに関わることができる。

これは共通の素材をもとに人々が交流する一つの文化である。日々の具体的な出来事であればともかく、少し抽象的なアイディアになると赤の他人と会話するのは難しくなる。しかしプラトンやアリストテレスを介すれば、多少なりとも彼らに影響を受けた文化を対話の糸口として利用することができるようになる。本章もこうした文化に即している。

古代では本を黙読する習慣は稀であったとされている。本は皆の前で読み上げられるものであった。またプラトン『プロタゴラス』三四七B〜三四八Aでソクラテスは、他人の言葉の意味を解釈することばかりに夢中になることをたしなめ、自分たち自身の言葉で対話するよう促している。そもそも書かれた言葉は備忘録程度のものである。書物に対して疑問が湧いてもその場で執筆者に質問することができない。執筆者からすると、時と場所をわきまえて読まれるようにすることもできない。書物は探求する人のための覚書なのだ（プラトン『パイドロス』二七四B〜二七七A）。古典を読むことも思考の対話として実践すべきことである。プラトンとアリストテレスは読者が自分で考えるときに優れた対話相手となる。

2 プラトン

†対話篇という形式

プラトンの作品は一部の例外を除いて対話篇という形式を採用している。対話篇では多くの登場人物たちが様々な観点から議論を交わす。プラトン自身が対話の担い手として登場することはない。したがって現代の論文のような形式とは異なり、対話篇はプラトンの思想を直接表明しているわけではない。おそらくプラトンは登場人物のソクラテス（他に『ソフィスト』や『ポリティコス（政治家）』といった作品ではエレアからの客人、『法律』ではアテナイからの客人）と近い立場に立っていることは間違いないが、完全に同一視することはできない。プラトンは対話篇でそれぞれの登場人物に一定の役割を担ってもらうことを意図しているはずであり、そうした意図を読み取ることも読者に要求されている。

具体例としてプラトンの主著『ポリテイア』を見てみよう。この対話篇の主題は正義だが、この主題が導入されるのは、ソクラテスとケファロスとのやり取りである。ソクラテスは、ケファロスの息子ポレマルコスになかば強引に説得されるかたちで資産家ケファロスの家にやってくる。老年のケファロスが正義に関心を持つのは、死後の世界のことが気がかりだからである。この世で不正を犯した人は死後に罰せられるという物語に恐れを抱き、ケファロスは正しく敬虔に生きることを重要視する。老年にお金が重要となるのも、神にお供えをするため、また嘘つきや借金の踏み倒しといった不正を犯さないためである。ソクラテスはこうした言葉を引き取って――ただし、神にお供えすることは取り上げない形で――「本当のことを語り、あずかったものを返す」のは正義の規定として正しいのだろうかと問いかける。『ポリテイア』は伝統的な正義の見解を検討することで始まっているのだ。しかし老人ケファロスはソクラテスと議論を交わすことはなく、神にお供えをすると言って場面から消えてしまう。

議論の相続人は息子ポレマルコスである。なぜ議論の相続人であることが強調されているのか。ポレマルコス自身がこうした正義の見解を擁護することを心の底から熱望していないことを暗示するためである。相続人の特徴についてはすでにケファロスとの会話で示されている。一般に、自分の稼いだお金に対する態度であれ、詩人の作品に対する態度であれ、親の子に対する態度であれ、自分の労力をかけているものに対し、人は強い愛着を示す。逆に譲り受けたものに対してはそれほど強い執着を示さないのが人間の性質である。ポレマルコスはシモニデスの言葉「それぞれの人に借りているものを返すのが正義である」という言葉を提示して、伝統的なギリシア人の正義の見解「友達を助けて敵を害すること」をソクラテスから反駁されるや否や、すぐにソクラテスに同意してしまう。これに対し、第三の対話相手トラシュマコスは「正義とは強者の利益である」という見解を擁護するのに熱心である。彼自身がこうした見解を考え出したからである。

正義をめぐるこの議論は第二巻以降で本格化し、「魂」のあり方をめぐる考察に至る。『ポリテイア』において正義は魂のあり方を定める卓越性の一種として理解されるようになる。通常の見解で正義は、「借りているものを返すのが正義である」といった見解のように、商売や契約や戦争など外面上の行動に関係するものと思われている。そして人々は自分が正しい人であると他の人から思われることによる評判や報酬のために正義を尊重しているにすぎない。これに対してプラトンが検討したいのは正義が魂の中にあるときにそれ自体としてどのような意義を持つかという点である。『ポリテイア』三五三Dにおいて魂の働きは生きることの側面から理解されているが、特徴的な働きとして配慮すること、支配すること、思案することなどが挙げられている。魂に着目するのは生き方の吟味を課題とするからだ。

このようにプラトンは登場人物の性格や会話のやり取りを通して様々な布石を打っており、一言一句読み逃さずにプラトンの意図を読み解いていくことも読者の課題である。ソクラテスの言葉を額面通り受け取っているだけではプラトンの意図は現れてこない。何らかの議論があれば、それを特定の会話の文脈の中に、特定の性格を備えた登場人物の発言として理解する必要がある。もちろん、そうした特定の文脈に依存した対話から普遍的な含意を引き出すのも読者の課題である。プラトンは時に読者をからかっていることもあるのだ。プラトンを読むには人間的な幅広さが要求される。

読者も登場人物たちの議論にあたかも参加して、プラトンとも心の中で対話する必要がある。なぜならそのような心の中での対話こそが、周囲の雑音や悪い慣習から自由になる方策だからである（『テアイテトス』一八九E〜一九〇A）。

†イデア

魂の中で知性を働かせて捉えるべきものはプラトンによってイデアと定式化されている。イデアの他の呼び方として「エイドス」や「真実在（ウーシア）」や「実在」や「何々そのもの」や「範型（パラデイグマ）」などがある。イデアには一のイデア、等しさのイデア、大や小のイデアなど数学的対象や、善や美や正義の価値のイデアなどがある。人間や火や水のイデアがあるかどうかはソクラテス自身も迷っている。そして毛髪や泥や汚物といった価値のないものについてイデアは存在しないとされているが（『パルメニデス』一三〇A〜D）、寝椅子や机のイデアは存在すると想定されている。

イデアは感覚によって捉えられるものではない。例えば、美のイデアについては次のようなことが言われている（『饗宴』二一一A〜B）。美そのもの、つまり美のイデアはつねにあるものであって、生じることも滅びることもなく、増大することも減少することもなく、ある面では美しいが他の面では醜いということもない。時間にも場所にも依存しない。特定の関係においてのみ美しいということもなく、ある人々にとっては美しいが他の人々にとってはそうではないということもない。美のイデアは特定の人にも顔にも生物にも物体にも現れることはない。何らかの言葉や知識として現れることもない。知を愛する哲学者の知りたいと思う対象はこうしたイデアである。

ソクラテスの言葉では哲学者は以下のように表現されている。

> 心底から学ぶことを好む者は、真実在に向かって熱心に努力するように生まれついているものであって、一般にあると思われている雑多な個々の事物の上にとどまって、ぐずぐずしているようなことはないのだ。そのような人は、真実在に触れることがその本来の機能であるような魂の部分——真実在と同族にある部分——によって、「まさに何々であるところのもの」と呼ばれるべき、それぞれのものの本性にしっかりと触れるまでは、ひたすらに進み、勢いを鈍らせず、恋情をやめることがない。彼は魂のその部分によって、真の実在に接し、

交わり、知性と真実とを産んだうえで、知識を得て、まことの生活を生き、はぐくまれて行く。そのようにしてはじめて、彼の産みの苦しみはやみ、それまではやむことがないのだ、と。（『ポリテイア』四九〇A〜B、藤沢令夫訳）

逆に哲学者と対比されるソフィストとは、多くの人々にそう思われている通念を表現しているにすぎない人々のことである。そして大衆に心地よいように上手く表現できる能力を「知恵」と称して、自分たちは「知恵」を伝授できると豪語して授業料を取って「教育」しているのだ。実際にそうであるかどうかは問題ではなく、つねに変化している現象を手際よく受け取って提示できる人たちである。

ではなぜイデアを知る必要があるのだろうか。そのつどその場で美しいものを的確に判断できれば十分ではないだろうか。第一に、そのような絶対的な尺度がなければ、個々の美しく見えているものが本当のところ美しいかどうか分からない。感覚を通して得られる情報はそのつど変化しており、現在の自分にとって特定の時や場所に依存して伝えられる限定したものにすぎない。それが他の人にも実際に美しいかどうか分からないし、現在を超えて未来に妥当する情報かどうかも分からない。本当のところを知らずして、ぼやけた尺度しか持っていないならば、どうして的確に判断できるだろうか。時間や場所や関係や視点に依存することのない完全な尺度を知っていてはじめて、本当にそうなのかどうか判断できるようになるはずである(『ポリテイア』五〇四C)。

第二に、イデアはそれを認識することによって実際にそうなることができるようになる根拠のようなものである。本当に美しくて善いものを認識しているからこそ、実際に美しくて善いものになりうる。逆にそうした認識を欠いているならば、特定の仕方でたまたま美しいことはあるかもしれないが、条件抜きに美しいということはありえない。もちろん、イデアはこの世界の中で特定の人や物に現れるようなものではなく、理想としてあるようなものである。そうした理想があると想定して、それを明晰に知ろうと前進していくのがイデアの探求である。

ただし諸々のイデアがすべて同列に扱われているわけではない。学ぶべき最大のものは善のイデアだとされている(『ポリテイア』五〇五A)。正しい事柄や他の事柄は善のイデアが付け加わることで有用なものとなる。逆に他のことを知っていたとしても善のイデアを知らなければ何の役にも立たない。正義のイデアを知っていたとしても、そのイデアがどういった仕方で善であるかを知らなければ、そうした知に何の価値があるだろうか。善のイデアとは価値を付与するものである。

さらに善については単にそう思われているというだけでは満足できない。美しいことや正しいことに関して言えば、実際にそうでなくても美しく見えていたり、人から正しいと思われていたりするだけで満足できるかもしれない。しかし善に関しては、偶然善く見えているというだけで納得のいかないものである。つまり善のイデアとは全面的な完全肯定である。普段の生活では当座の欲求をかなえることで肯定的な感情を抱くことができる。しかし自分の人生全体が見かけの上では善くても実際に善くないとき、心の中でよく考えてみればそれで満足するだろうか。

†魂の三部分説と教育

では最終的に善のイデアに到達するためにどのような訓練を積んでいけばいいのだろうか。プラトンは『ポリテイア』第二〜三巻と第七巻で詳細な教育プログラムを提供している。まず若いうちに音楽や体育を通して感情が知性に従うように陶冶される必要がある。その後に社会の実際の用務に従事し経験を積む。それは、魂の三つの部分のうち「欲望」と「気概」を「知性」に従わせる訓練である。

『ポリテイア』では魂はポリスの三つの社会階層に対応する形で三つの部分に分割されている。ポリスには政治や裁判に従事する守護者の階層、守護者を助け国の防衛に従事する戦士の階層、農民や職人などの生産者の階層という三つの階層がある。それとのアナロジーにより、魂の中には知性と気概と欲望という三つの部分がある。知性は道理を把握し、気概は欲望が知性に反するときに憤慨したり、知性に味方して魂を奮い立たせたりする部分である。

知恵と勇気と節度と正義という四つの卓越性の役割も魂の三部分説に対応して位置づけられる。知恵のある人とは知性が魂全体を配慮し支配する働きにおいて優れている人である。勇気のある人とは知性の命令に従って審議されたことを遂行できる人である。節度のある人とは、知性が他の二つの部分を支配すべきであることに納得して三つの部分が協調している人のことである。そして正義のある人とは魂の三つの部分が自分に固有の役割を実行し、他の部分の仕事に余計な手出しをしないような人である。このように知性だけでなく、気概や欲望を司る部分も人間の生き方に密接に関わるので、そうした部分に関する卓越性の涵養と教育が重要視される。知性を磨くだけでは人間の魂の教育プログラムとして不十分なのだ。

その後の教育段階では数学的な学問が重要視される。数学的な学問としては数と計算、平面幾何学、立体幾何学、天文学、音階理論がある。数学は感覚ではなく知性を通して認識するようになる向け変えに非常に役に立つ。認識の方向性を生成変化する世界から本当に実在するイデアの方へと向け変えなければならない。ソフィストのように教育とは知識がない人に外側から知識を与えてあげることではない。人々はすでにイデアを認識する機能を備えているのであって、単に方向付けが正しくないだけなのだ。

最後に哲学的な対話問答によって善のイデアの認識へと方向付けられねばならない。対話問答は人生の後半に行われるべきものである。というのも若いうちから言論にいそしんで相手を論破することに心地よさを覚えてしまうと善のイデアを認識するどころか無法者となってしまうからである(『ポリテイア』五三九A-D)。善のイデアは、いっとき心を向けかえれば到達できる休息所としてではなく、長い時間をかけた鍛錬の先にいまだ到達できない理想としてある。

3 アリストテレス

†万学の祖

アリストテレスはプラトンのイデア論を批判した。善のイデアなど認識しなくても、実際に人々はそれぞれの学問を自立して遂行している。アカデメイアでは師匠や友人を批判することが推奨されていたようである。ただし現在ではアリストテレスとプラトンの違いを際立たせることよりも、アリストテレスがいかにプラトンから影響を受けたのかがよく研究されている。アリストテレスはプラトンを批判するときだけプラトンの名前を出すが、プラトンの考えを参考にしたときはプラトンの名前を出さない。

アリストテレスは諸々の知性の種類を分けたことで有名である。『ニコマコス倫理学』第六巻によれば、まず他の仕方ではありえない必然性の領域と他の仕方でもありえる行為の領域を分けた上で、前者には第一原理を把握する直知（ヌース）と原理から論証する学問（エピステーメー）とその両方からなる知恵（ソフィア）を割り当て、後者には特定の目的の実現をはかる技術（テクネー）と人生全般の善を配慮する思慮（フロネーシス）を割り当てた。学問も三つに区分し、理論学と実践学と制作学に分けたとされる（『形而上学』一〇二五b一八〜二八）。ただし学問の三区分自体はアカデメイアですでに言われていたことのようであり、プラトンの中にも知性の区別に関する表現を見ることはできる（『ポリティコス』二五九C〜D）。

アリストテレスにおいて学問や思慮などの知性としての卓越性を発揮することは人間にとっての幸福である。彼の魂論によれば、人間の魂は道理を持つ部分と道理を持たない部分から成り立っている。知性は道理を持つ部分の卓越性として位置づけられる。これに対し、勇気や節度や気前のよさといった性格の卓越性は道理を持たない部分が道理を持つ部分に聞き従うこととして捉えられる。こうした卓越性に即して魂が活動することが幸福だと定義される（『ニコマコス倫理学』第一巻第一三章）。道理を持たない部分の活動には栄養を摂取して生物として成長する植物的な活動も含まれている。アリストテレスは動物に限定せず植物も含む仕方で魂の働きを理解している。こうした魂を一つの主題として本格的な研究を開始したのはアリストテレスの『魂について』という著作である。

アリストテレスはそれぞれの学問ごとにその基礎となるような原理や対象の独立性を認め、お互いに自律した学問として扱っている。彼の取り組んだ学問は広範囲にわたっており、例えば、論理学、生物学、自然学、天体論、政治学、倫理学、詩学、弁論術などがある。もちろん、生物学や天体論の自然学に対する関係のように、ある学問が他の学問の原理を利用している場合は知識の階層関係があるが、一つ一つの領域ごとに、情報を集積し、体系化したのは彼の功績によるところが大きい。こういった学問分類そのものが、アリストテレスが世界をどう見ていたかを示している。

†先人の見解の尊重

現代の学問の世界では先行研究を調べることが要求される。自分の調べているトピックについてすでに行われた研究はどのようなものなのかを調べた上で、新しい自分の研究成果を付け加えることが求められる。先行研究に問題があれば、それを指摘して批判することも学問の重要な作法である。現代では当たり前となっているこうした実践も人類の長い歴史の中で徐々に確立されてきた習慣である。

この点でアリストテレスの果たした役割は大きい。彼はほとんどあらゆる学問において先行研究の調査を行っている（また、こうした調査が古代ギリシアの人々の見解を知る上で貴重な資料となっている）。そして先行研究の問題点やお互いの矛盾点を整理して、自身の探求の課題として据えている。例えば、『自然学』第一巻では「自然」に関して、『魂について』第一巻では「魂」について先人たちがどのような見解を提示しているのかを調査している。『政治学』第二巻ではプラトンなど先人たちの議論だけでなく、評判の高い既存の政治システムも調査する。アリストテレスの学園リュケイオンでは一五八に及ぶ当時の国制を調査したようである。先行研究の調査は必ずしも一番初めに行っているわけではなく、時にはアリストテレス自身の見解を確立した後に、自分の説を検証するために先行研究との整合性を調査することもある。例えば、『ニコマコス倫理学』第一巻第八章では「幸福」に関して、自分の見解を提示した後に他の人の説を調査している。

なぜ先行研究を調査し、問題点を把握する必要があるのだろうか。『形而上学』第三巻第一章によれば、第一に、問題点を先に解消しておけば、その後の研究を順風満帆に進めていくことができる。第二に、問題点を把握しておかないと探求の目標を認識できないし、さらに探求している対象を発見したのかどうかさえ認識することができない。第三に、裁判では原告被告両方の主張を聞く必要があるように、対立する両方の見解を聞いた人は公平に判断することができる。

アリストテレスが先行研究の調査を行うにあたって前提としているのは、おおむね人間は真実な見解を手に入れることができるし、実際に世界を正しく把握しているという人間の認識に対する信頼である。人々の見解には何らかの正しい指摘が含まれており、全面的に間違っているということはまずありえない(『形而上学』九九三a三〇〜b一九他)。問題点も対立点もなく、すべての人が同一の意見を持っている場合には、実際にもそうであると認めるほかはないとまで言っている(『ニコマコス倫理学』一一七二b三六〜一一七三a二)。全員賛成した場合は否決されたものとみなすという態度ではない。学問の課題とは少なくとも何らかの点では正しい見解を集めてきて、問題点を解消し、一つの整合的な認識を確立することである。学問とは諸々の情報の集約の結果として生まれる知識の体系化である。

こうした態度を表現しているテクストを『政治学』から引用してみよう。以下のテクストの文脈では、プラトン『ポリテイア』の財産共有制という方策を批判している。

また次の点も見落としてはならない。つまり、非常に長い時間と年月にわたって、そのような方策は日の目を見ることがなかったということも考慮に入れるべきである。もしそれが立派なものであったとすれば、これほど長い間誰もそれに気づかなかったはずはない。というのも、ほとんどあらゆる方策がすでに発見されているからである。もっとも、そのなかには資料として収集されていないものもあり、知られてはいるが活用されていないものもある。

(『政治学』一二六四a一〜五。神崎繁、相澤康隆、瀬口昌久訳)。

†知識の発展

では経験を積み重ねてデータを集積すれば学問をしたことになるのか。アリストテレスの枠組みでは、それだけでは学問とならない。学問の要件には原因の把握という点も含まれている。

一方で、アリストテレスは学問的知識の基礎として、感覚を通した情報取得とその情報の集積としての記憶や経験を尊重している。『形而上学』第一巻第一章で感覚から学問的知識に至るまでの知識の発展を記述している。「すべての人間は自然本性上、知ることを欲する」という冒頭の有名な言葉は、見ることに対する愛好を証拠として根拠づけられている。感覚だけでは世界の状況をその場限りに伝えるだけだが、いくつかの動物は記憶力を備えており、感覚情報を蓄積することができる。さらに聴覚に優れた動物であれば、他から教わって学ぶことができる。同一の事柄について多くの記憶が積み重なると経験となる。

さらに人間のような動物になれば、推論することで技術を身につけることができる。アリストテレスにおいて「技術」とは普遍的な判断を含むものである。例えば、当時のギリシアで比較的発展した技術である医術の場合、経験の段階では、ソクラテスがこうした病気を患った際にはこうした処置が有効であり、プラトンやイソクラテスや他の人の場合についても同様であった、という知識を持っているにすぎない。しかし技術を獲得していると、一定の体質の人すべてに対して熱病を患った際にはこうした処置が有効であると普遍的な判断を下すことができる。

日本の職人肌の人は経験家に近いかもしれない。料理の技法は言葉を通して教わり学習すべきものというよりも、実際にやっているところを「目で見て盗む」ものとされている。ノウハウは座学によって学習できるようなものではなく、実際に様々な事例をたくさん経験してみることによってしか身につかないかもしれない。アリストテレスも、実際に行為するときはあくまで個別の事柄に対処するのが主眼なので、経験が非常に有用だと認めている。ただし、普遍的な判断を備えていないと、他の人に言葉を通して説明し教えるのが難しい。

†原因の把握

『形而上学』第一巻第一章では、学問はこうした技術の延長線上にあり、原因の把握を重要な要件としている。ただの事実として、物事が実際にそうなっている——例えば、「ソクラテスが病気にかかっている」——という点を把握するだけでなく、なにゆえにそうなのか、と原因を把握しているときに、学問的な知識を持っている。アリストテレスが感覚による情報把握を知識と同一視しないのも、感覚は事実を知らせるだけで原因を把握できないからである。例えば、触覚は火が熱いという事実を知らせてくれたとしても、なにゆえに火が熱いのかを説明しない。少し話がややこしくなるが、先にも述べたように『ニコマコス倫理学』第六巻では技術と学問は全く別の領域にあるものとして明確に区別されている。しかし一般に古代ギリシアでは「技術、学問」という用語は明確に区別されていたわけではない。『形而上学』第一巻でも技術と学問は近い関係として捉えられている。

知的探求に不可欠な「驚き」の観点から普遍的判断と原因の関係を見てみよう。驚きには普遍的な判断が含まれている。例えば、一般的に月の満ち欠けに関する規則性の認識がなければ、月食という現象に驚かないはずである。毎日、月を観察し、新月、上弦、満月、下弦の規則的な移行といった普遍的な判断があるからこそ、ごく稀に月に食が生じると不思議に思い、なぜ月食が生じるのか、と疑問に思う。太陽と月の間に地球があって、地球が太陽の光を遮るからといった原因を把握することで疑問を解消する。原因を把握すれば、月食を当然のことと思うようになる。逆に太陽と月の間に地球があるのに月食が生じないならば、今度はこの事態の方が驚きであり、また原因の探求が始まるはずである。

『形而上学』第一巻では技術と学問の違いを、生活上の有益さに関する関心のあるなしによって説明している。医術であれば人間の健康を回復させるという生活に有益な目的があり、建築術であれば、家の建設という目的がある。しかしそうした人間的な関心事から離れて、知識それ自体のための知識を追求した人こそ知恵のある人だと当時のギリシアの人々は考えた。アリストテレスはエジプトで暇のある祭司階級の存在が数学的な学問を生じさせたと理解している。

少し言いかえると、人間がこの世界を認識する際にはあくまで人間の関心に引きつけていたり、人間の感覚能力で把握しやすいように理解していたりする。見た目の類似でクジラを魚と判断しても、捕まえて食べるだけならクジラ（鯨）もマグロ（鮪）も同様なものに分類して一緒くたに網の中に捕まえるものと普遍的な判断を下しても問題はない。また飲料に適しているかどうかを判断するために水を理解するなら、とりあえず人間が見つけやすいように透明で無臭な液体と捉えてもそう間違えることはない。時にお腹をこわすことがあるかもしれないが、それで当座はうまく生活しているはずである。

しかしこうした理解の仕方は人間に都合のいい仕方で世界を捉えているだけであり、人間の感覚器官によって捉えられる情報も限られているので、この世界の本当のありさまを捉えているとはいいがたい。むしろ実際に存在しているものを知りたいならば、人間の感覚情報にだけ依存せず、人間の関心を超える必要がある。そして、この世界をそれ自体として捉える方が人間に現れている範囲内のことを理解していることよりも、本当の意味で「知っている」と言える。人間の感覚と関心から出発しながらもそれを徐々に剝ぎ取って知識の純粋性を高めること、これが学問の重要な特徴である。

アリストテレスはこうした純粋に知を求める学問を「自由な学問」と呼んでいる（『形而上学』九八二b二四～二八）。ここで「自由」とは「生活の束縛から離れて自分のために生きていること」といった意味である。自由と対比される奴隷状態では、生活の必要を満たすために他の選択肢がない状態で他人のために労働せざるをえない。またアリストテレスは生活に有用なことを判断できる思慮に関しては他の動物にも見られる特徴であり、そして人間にとって有用なことと他の動物にとって有用なことは必ずしも一致しないが、原理や原因を把握する知恵の対象――例えば、月食が生じることや直線であること――は人間に依存しないものだとしている（『ニコマコス倫理学』一一四一a二二～二八）。

先ほども述べたように、知性を働かせることは人間の幸福として理解されているが、知性の間にも違いがある。『ニコマコス倫理学』第一〇巻第七章によれば、政治や軍事といった実践的な活動よりも純粋な知の活動の方が幸福とされる。とりわけ第一原理を把握する直知や知恵の活動こそが当人だけで活動できる点で自足的であり、間暇にふさわしく、それ自体で目的となる活動である。これに対し実践的な活動はいい生活のために政治や戦争をする以上、他の目的を実現するために従事する営みである。したがって人間的な関心事から離れて神のように純粋に知恵を発揮することが人間にとって最も幸福な生活だとされている。

さらに詳しく知るための参考文献

内山勝利責任編集『哲学の歴史1　哲学誕生　古代Ⅰ』（中央公論新社、二〇〇八年）……プラトンやアリストテレスの哲学に関する概説書。それぞれの生涯や著作の伝承過程も扱っていて、とても充実した内容となっている。

納富信留『プラトンとの哲学――対話篇をよむ』（岩波新書、二〇一五年）／山口義久『アリストテレス入門』（ちくま新書、二〇〇一年）……プラトンとアリストテレスそれぞれに焦点を当てて、その哲学を全般的に扱っている著作としてこれらの新書を参照。前者はプラトンの対話篇ごとに、後者はアリストテレスのトピックごとに哲学の問題となる点を描き出している。

井上忠、山本巍編『ギリシア哲学の最前線』（東京大学出版会、一九八六年）……少し古いが、古代哲学に関して海外の重要な論文が邦訳されている。いまだに言及される有名な論文を所収している。（1）と（2）の二巻本である。

佐々木毅『プラトンの呪縛』（講談社学術文庫、二〇〇〇年）……プラトンやアリストテレスに関して現代との関連を知りたい人は参照。政治思想としてプラトンやアリストテレスを扱う危険性と現代的意義を考察する手がかりとなる。

＊プラトンとアリストテレスの著作については、内山勝利、神崎繁、中畑正志編『アリストテレス全集』（岩波書店）だけでなく、京都大学学術出版会や光文社や講談社から新しい翻訳が続々と出版されており、そこに付いている解説を参照すると最近の研究状況を把握することができる。

コラム3 ギリシア科学

斎藤 憲

ギリシア科学は(自然学と呼ぶ方が適切だが)パルメニデスの「あるものはある、あらぬものはあらぬ」、すなわち変化を否定する要請を受け入れたうえで、変転きわまりない自然現象を説明するという難題への答えを探す営みであった。アナクサゴラスの「すべてのものがすべてのものの中にある」という不思議な学説も、パルメニデスに対する応答と考えれば了解できる。

エピクロス派の原子論、アリストテレス派の四元素論は、熱冷乾湿などの「質」は究極的実在か、という点で対立するが、不変なもので変化を説明する点は共通する。究極の実在はイデアであるとするプラトン派、自然現象はプネウマの緊張と弛緩によると主張したストア派も、パルメニデスの要請を満たす説明を提供する。これらアテナイの学派はそれぞれの第一原理から、哲学と、その一部である自然学を展開した。近世に至るまで大きな影響力を持ったのはペリパトス派の四元素説で、それはアリストテレスの生物学著作に見られる具体的な調査研究にも支えられていた。

他方、アレクサンドリアで発展した科学は別の潮流と考えるべきであると科学史家フロリス・コーエンは指摘する。エウクレイデス(前三世紀前半)の『原論』に体現される厳密な証明を伴う数学が成立し、それが自然現象の定式化に利用された。遠くのものが小さく見えるという視覚の問題や、鏡による見えは幾何学的に分析された（エウクレイデス『オプティカ』『カトプトリカ』）。アレクサンドリアに繰り返し自著を送ったアルキメデス（前二八七頃〜前二一二）は梃子の原理（支点からの距離に反比例する重さがつり合う）、浮力の原理（液体中の物体は、押しのけた液体の重さだけ軽くなる）で知られるが、これらは実は「原理」ではなく、「等しい距離で等しい重さがつり合う」のような単純な仮定から証明される（斎藤憲『アルキメデス『方法』の謎を解く』岩波書店、二〇一四年）。

惑星の運動を円運動の巧みな組み合わせで近似するモデルはプトレマイオス（二世紀前半）が集大成して近世まで計算天文学の基礎となった。時代的にはこれらに先行するが、音程を数比で表す音階論（ハルモニケー）は、アルキュタスに重要な業績が帰され、エウクレイデスの名で『カノーンの分割』が伝わる。ただし各々の理論は特定の現象に限定され、自然界全体を数学的にとらえるという野心は見られない。

この限定を超えて数学が第一原理と認められたのが近代科学の成立という事件だった。アテナイとアレクサンドリアの融合と言える。それがギリシアやアラビアではなく、一七世紀西欧でのみ起こった原因は科学史の最大のテーマである。

第9章　ヘレニズムの哲学

荻原　理

1　ヘレニズム哲学のイメージ

†ヘレニズム哲学と世界哲学史

ヘレニズム期とは、ギリシア古典期とローマ期の間の、前三二二年頃〜前三〇年頃を指す。哲学史上の時期であるだけでなく、政治史上の時期でもある。哲学史では、古典期最後の哲学者アリストテレスの没年が前三二二年であった。続くヘレニズム期の哲学を代表するのは、ストア派、エピクロス派、懐疑派である。古典期・ヘレニズム期には、地中海世界で哲学が営まれる主な言語はギリシア語だったが、ローマ期になると、ギリシア語と並んでラテン語も哲学の主要な言語となる。

政治史も見ておこう。前三二三年にアレクサンドロス大王が没して後、その帝国は後継者の間で分割された。大王や後継者はギリシア文明の担い手であった。やがてローマが勢力を伸ばし、ついに前三〇年、地中海世界の覇権をギリシア勢から完全に奪い去った。

以下で、ヘレニズム哲学の代表的三派のうち、主にストア派とエピクロス派を取り上げる。さて、世界哲学史と銘打つ以上、通常の哲学史にはあまり見られない世界性を示したい。では、ヘレニズム哲学の記述はいかなる世界性を示しうるか。

地中海世界と他の地域との交流、という意味での世界性を示すのは無理だ。ヘレニズム哲学の主な舞台は地中海世界に限られていた（中心はアテナイ）。アレクサンドロスの東征に随行した懐疑派の祖ピュロン（前三六五頃～前二七〇頃）がインドの行者や神官と会っていた、というエピソードくらいでは、世界性の導入にならない。

ではヘレニズム哲学の記述は、哲学と他の領域（他の文化的領域や、政治的経済的等の要因）との相互影響を視野に入れることで世界的たりうるか。これも難しい。そうした相互影響について、空想や独断に陥らずに語れそうな気がしないのだ。重要な影響関係がなにかしらあったはずだとは思うが。

ヘーゲル、マルクス、ツェラーがヘレニズム哲学を現実から観念への逃避として規定したのは興味深いが、それは、ヘレニズム哲学の本質を捉えているからというよりは、ある哲学について抱かれるイメージはそれとして面白いからである（この点にはすぐ戻ってくる）。

そこで、ヘレニズム哲学の記述の世界性を次のようにして確保したい。その哲学が世界において何であったかに目を向けることによってである。ストア派、エピクロス派の哲学が世界において何であったかを押さえるには、次の二つの作業がともに必要だ。第一に、それらの哲学を内在的に理解すること。第二に、それらの哲学が外部者の目にどう映ったかを記すこと。ある哲学について外部者がもつイメージはしばしば歪んでいる。だが、そんな誤解にさらされたということも、その哲学の、世界における経歴の一部なのだ。ヘレニズム哲学の実像と、世に流通するイメージの両方に目を向けることによって、世界哲学史の名にふさわしい視座を確保したい。

以下では、まずヘレニズム哲学をめぐる若干のネガティヴなイメージを紹介し、次に、ストア派やエピクロス派の実像と筆者が解するものを示したい。

†ヘレニズム哲学のネガティヴなイメージ

ヘレニズム哲学については次のようなイメージがある。それは㋐大したことはない、㋑いまひとつ堪能できない、㋒どうにも救いようがない、というイメージだ。

ヘレニズム哲学のこれらの特徴づけに、筆者は反対である。だがここで、それらの捉え方にあえて反論しない。むしろ、火のない所に煙は立たぬと言わんばかりに、それぞれのイメージの形成に寄与したと思われる要因を指摘してみたい。

㋐のイメージの形成に寄与したと思われる要因。ヘレニズム期とは古典期に次ぐ時期であり、古典期とは、ソクラテス、プラトン、アリストテレスといった巨人が活躍した黄金時代である。となれば、ヘレニズム期の哲学者たちは古典期の巨人より格下だ、という話になりやすい。

㋑のイメージの形成に寄与したと思われる要因。ヘレニズムの哲学者の文書はわずかしか残っていない。プラトンやアリストテレスの場合、大部の著作集が伝えられており、これをひもとく者は、一方の、テクストの個々の箇所と、他方の、哲学体系の全体像――あるいは体系の変動ぶりの像――の間を何百回と往復するよろこびをかみしめることができる。だがストア派のクリュシッポスや、エピクロスのやはり大部の著作群は、断片的にしか残っていないのだから仕方がない。

㋒のイメージの形成に寄与したと思われる要因。西洋哲学の言説に対して、キリスト教的なものがふるう形成力は強い。キリスト教にとって、古代ギリシアの哲学者は傲慢である。神の救いなしに、人間の理性だけで幸福を実現できると思っていたからだ。だが、古代の異教徒のうち、プラトン、アリストテレスはまだましである。物体的次元を超えた精神的次元に目を向けていたからだ。それに引きかえストア派、エピクロス派のように、神や魂まで物体として捉える連中は、どうにも救いようがないとされる。

いま筆者は、㋐から㋒の捉え方に反論しないだけでなく、そうしたイメージの形成に寄与したこれらの要因が本当にそれらの捉え方を正当化するのか、という問題にも立ち入らない。ただ、ヘレニズム哲学がそのようにネガティヴに見られることがあったという事実を記すにとどめる。

今の記述は乱暴だと思われるかもしれない。だが、ことは世界哲学史である。ある哲学に対し、これを好意的に理解しようとしない者がいくらでもいる場所、それが世界ではなかったか。世に通用するイメージのこの苦味、雑味こそ、世界性の味なのである。

以下では、お口直しではないが、ストア派、エピクロス派の実像を描き出してみる。ある哲学がそれ自体どうであったかということも、それが世界において何であったのかということの一部だからである。

そのさい、ストア派、エピクロス派が世界ないし宇宙をどう捉えていたか、という点を記述の糸口にしたい。世界についての哲学的把握を「世界哲学」と呼ぶならば、ストア派、エピクロス派は、世界哲学の歴史の興味深い二節をなす。懐疑派については最後に簡単にふれる。

2 ストア派

†ストア派の哲学者たち

ストア派の開祖はキティオンのゼノン（前三三三／三三二〜前二六二／二六一）である。前三〇〇年頃、アテナイの彩色柱廊（ストアー・ポイキレー）で教え始めた。第二代学頭はクレアンテス（前二三二没）。「ゼウス賛歌」を著した。三代目はクリュシッポス（前二〇八／二〇四没）。論理的洗練にたけ、多作で、権威をもった。彼らは初期ストア派と呼ばれる。パナイティオス（前二世紀）、ポセイドニオス（前二世紀〜前一世紀）は中期ストア派。ローマ期のセネカ、エピクテトス、マルクス・アウレリウスらは後期ストア派と呼ばれる。

†ストア派にとって世界とはどんなところか

ストア派によれば、世界全体はロゴス（理法、理性）によって支配されている。ロゴスは神とも自然（フュシス）とも言い換えられる。ただしストア派の神は、人間のふるまいに感情や思念や行動で反応する神ではない。むしろ世界の展開のプログラムのようなものと言えよう。

世界におけるいかなるものも、世界の理性的構造の一角を占め、世界の理性的展開に一役買っている。人間もそうだ。だが人間は、それ自身が理性（ロゴス）をもつことによって、世界のうちに特別の位置を占める。人間の理性は、世界全体を支配するロゴスの一部である。自らの理性をよい状態におきこれをよく働かせることは、ロゴスによる世界支配に積極的に参加することを意味する。理性的に認識し行為し生きることが人間の課題である。そのように生きることが人生の目的、幸福である（ストア派の幸福観については後にも少し）。

ストア派の存在論は物体主義である。自立的に存在するものと、このような存在者に依存して存在するものを区別すれば、ストア派にとって、自立的に存在するのは物体、つまり外からの圧力に抵抗する、三次元に拡がったものだけである。神としてのロゴスは、自立的に存在する。したがって物体だ。物体である世界全体のうちに、物体であるロゴスがまじりあい、いきわたっている。ロゴスから世界への働きかけは物体間の作用である。

また生物の魂も、魂の徳・悪徳も物体である。魂を物体と捉える点はエピクロス派も同じだ。つまり両派にとって生物とは、身体という鈍重な物体のなかに、魂という軽やかな物体がいきわたったものである。そして魂から身体へ、身体から魂への働きかけは、二物体間の作用なのだ。こうして両派は、デカルト的心身二元論のアポリアを未然に回避した。

ストア派は自然と質料という二原理を立てる。自然が、それ自身無性質な質料に働きかけた結果、具体的な物体が成立する。

　ギリシアの通例どおりストア派も、地水火風について語る。そしてヘラクレイトスにならって、火に特別の地位を認める。だが、火の位置づけはストア派内で一通りではなかった。世界を支配するロゴスが火と同一視されることもあった。だが次のように捉えられることもあった。世界地水火風は、質料が取る四つの基本的形態であり、そのなかで火は特別だ。第一に、火だけはいかなるときにも世界から姿を消すことがない。一定期間ごとに世界全体が炎上し火だけになり、また新しい周期が始まる、というストア派の教えが念頭にある。第二に、火は地水風を生み出しうる。世界炎上の後、やがて地水火風が出揃うとされるが、火しか存在しないときに地水風を生むものがあるとしたら、火以外にないというわけだ。

　話はさらに複雑になる。火は、自らが生んだ空気と混合して気息（プネウマ）となる。ロゴスとは実はこの気息なのである。気息はマクロなレベルで、世界全体にいきわたり、ミクロなレベルで、個々の物体のなかにいきわたる。いずれにせよ、軽やかで活発な気息は、鈍重な水や土のなかに混ざりこむ。気息は、これがいきわたるものに緊張をもたらしてこれを組織化する。そのさい、熱い火は膨張を、冷たい空気は収縮を適宜もたらす。個々の物体は、その機能が高度であればあるほど、高度な緊張をもたらされている。生物の機能は無生物より高度であり、植物より動物、他の動物より人間の機能のほうが高度である。魂とは、生物にいきわたりこれを組織化する気息に他ならない。

†判断と行為の、表象への同意による説明

ストア派は判断と行為をともに、「魂の統轄的部分(ヘーゲモニコン)が、自分に与えられた表象(ファンタシアー)に同意を与えること」によって説明した。

魂には八つの部分ないし能力がある。五感、生殖能力、発話能力、統轄的部分である。統轄的部分は心臓に位置し、魂の残りの部分を身体中に遣わす。

判断は次のように説明される。人の前にあるものから、人の魂の統轄的部分が『コレハ杉ダヨ』という内容の表象を受け取るとする。これはつまり、人が『杉みたいだな』とひとまず思うことを意味する。統轄的部分がこの表象に同意を与えるなら、人は「それは杉だ」との判断を下すことになる。同意を差し控えるなら、「杉に見えるけれど、わからない」と、判断を留保することになる。ちなみに、表象の明瞭性、確実性に程度差がある。確実な表象にしか同意しないのが安全である。賢者はそうした慎重さをもつ。

行為は次のように説明される。人の目の前に置かれた他人の財布から、人の魂の統轄的部分が『コレヲ盗ミナヨ』という内容の表象を受け取るとする。これはつまり、その財布を盗みたいという誘惑にかられることを意味する。このように行為を促す表象は、「衝動的」表象と呼

ばれる。この表象に同意を与えるなら、人はその財布を盗む。同意を差し控えるなら、盗みはやめておく。ストア派の語る、表象に同意を与える能力は、後代の意志概念の走りだと言える。

おそらくストア派は、同じ状況に置かれても、人によって受け取る表象が異なりうることを認めるだろう。『杉みたいだな』とひとまず思う、つまり『アレハ杉ダヨ』との表象を受け取るためには、ある程度の視力が必要だし、杉のことを知っていなければならない。倫理的にまともな人は、他人の財布を盗みたいという誘惑にそもそもかられないだろう。つまり、同じ状況に置かれても『コレヲ盗ミナヨ』との表象を受け取らないだろう。

†宿命論

ストア派によれば、世界で起こることはすべて、人間の思考、決心、行為も含め、細部にいたるまであらかじめ完全に決定されたしかたで生じる。

いま私がある状況に置かれ、どうしようか考え、「こうしよう」と決心して、そうしたとしよう。ストア派によれば、そのとき私がその状況に置かれることは、あらかじめ決定されていた。のみならず、どうしようか考えることも、「こうしよう」と決心することも、つまりはそうふるまうことも、あらかじめ決定されていたというのだ。

世界の完全な秩序への信頼と結びついていよう、この決定論的立場をストア派は、諸原因が宿命（ヘイマルメネー）によって結び付けられている、と表現する。

ストア派の宿命論についての一つの誤解を取り上げよう。私が病気になり、助かりたいので医者を呼ぼうと思う、とする。ストア派によれば、私が助かるかどうかはすでに決定されているわけだが、ならばストア派は次のように主張しているはずだ、と誤解されるかもしれない。すなわち、私はわざわざ医者を呼ぶ必要はない。なぜなら、医者を呼ぼうが呼ぶまいが、助かるものと決定されているのなら助かるし、助からないと決定されているのならば助からないからだ、と。

だが実際にはストア派は、私が助かると決定されているとして、医者を呼ぼうが呼ぶまいが助かるなどと主張してはいない。出来事の間には、「Aが起こらない限りBも起こらない」といった、「共に宿命づけられている」という連関がある。医者を呼ばない限り助からないのかもしれず、もしそうなら私は医者を呼ぶべきである。それでも助からなかったら、宿命として受け入れよ、というわけだ。

ストア派の宿命論に対しては、また次の疑問が寄せられた。ある人が悪事をはたらいたとする。もしストア派の言うように、人が何をなすかがあらかじめ決定されていたのなら、その悪事のためにその人を責めるのは不合理ではないか。その人はそうするしかなかったのだから、と。

この疑問に対するストア派の応答はこうだ。いや、その人を責めるのは不合理ではない。その人がその罪を犯した主要な原因はその人自身の劣った倫理的性格だからだ、と。

この点をやや詳しく見よう。ある人が他人の財布を盗んだとする。その原因と呼びうるものを二つ指摘できる。第一に、「他人の財布が近くにある」という状況にその人が置かれたこと。第二に、その人の倫理的に劣った性格である。劣った性格だからこそ、そのとき『コレヲ盗ミナヨ』という表象を受け取ってしまったのだし、かつ、この表象に同意を与えてしまったのだ。だがストア派によれば、「その人がその財布を盗んだ」というよからぬ出来事を生み出した主要な原因は、その人のよからぬ倫理的性格である。これに較べれば、その人がその状況に置かれたことは、補助的な原因にすぎない。

たしかに、そのときその人の性格が劣ったものであることも、あらかじめ決定されていた。それは次のことを意味する。「そのときその人が、主要には自分の性格のゆえに悪事をはたらき、したがってその悪事に対して責任を負う」ということがあらかじめ決定されていたのである。

自由と必然性の問題に対する一つの一貫した視点が、ストア派によって示されていたと言えよう。

†ストア派の価値論・倫理学

個々の事物にはそれ本来のありかた、自然本性（フュシス）がある。各事物は自らの自然本性に従うかぎりで、世界全体を支配する自然とも一致する。

人間の場合、成長の段階に応じて「自然本性に適ったこと」の中身が変容していく。乳児は他の動物と同様、飢えや渇きを充たそうとするなど、自己保存に努めるが、これはその段階で自然本性に適ったことである。自己保存欲は、自分に親密なものに惹かれる（オイケイオーシス）という一般的現象の一つの顕われである。人間が理性を獲得しこれを発展させていくにつれて、自分に親密なものの内容が豊かになり、範囲が拡がっていく。一つには、自分の属する共同体と同一視するようになる。さらには、自己を「世界市民」とみなすようにもなりうる。

さきほどふれたが、幸福とは、自然に従って生きること――シノペのディオゲネスをうけつぐ――、世界全体を支配するロゴスに合致して生きることである。そうして生きられる生は一貫性を示す。

幸福であるための必要十分条件は、有徳であることだ。そして徳と智恵は同一である。徳つまり智恵さえあれば、奴隷の身であろうが激痛に襲われていようが、幸福だ。幸福を他人から奪われるおそれはない。

真の意味で「善い」のは徳だけ、真に「悪い」のは悪徳つまり愚かさだけである。それ以外のものは、健康・病気も、財産・貧困も、美貌・醜さも、善くも悪くもない。

だが、善悪無記のものの間に、より広い意味での価値に関する区別がある。健康などは「選好されるもの」、病気などは「忌避されるもの」である。行為の選択肢が複数あり、善悪の点で同等である場合、選好される行為をなすのが自然に適っている。

そのときどきで「時宜に適った行為」がある。政治参加も自殺も近親相姦も、状況によっては時宜に適う。

情念（パトス）、つまり悲しみ、怒り、妬み、同情、快苦などは、すべて不合理である。一切の情念から自由な状態（アパテイア）が理想であり、賢者はこの理想を体現する。ただし賢者も、歓喜のような「よい感情」はもつ。平静な心で世界のありようを認識しているよろこびは、近世のスピノザも語ったものだ。

3　エピクロス派

†エピクロス派の哲学者たち

サモスのエピクロス（前三四一〜前二七一）は前三〇七／三〇六年、アテナイ郊外に「庭園」と呼ばれる学園を開いた。エピクロス派において開祖その人が権威とされた。エピクロスの著に、『規準論』（認識論の書）、『自然について』、書簡などがある。そのうち、全体が伝わっているのは三通の書簡だけだ。同派にフィロデモス（前一世紀）、ルクレティウス（前九四頃〜後五五）がおり、後者は『事物の本性について』をラテン語で、詩形式で書いた。ローマ期、オイノアンダのディオゲネス（後二〇〇頃）はエピクロス派の教えを巨大な石碑に刻んで掲げた。

†エピクロス派にとって宇宙とは、また世界とはどんなところか

エピクロス派では宇宙と世界が区別される。宇宙全体の中に、世界と呼ばれるまとまりが多数あるとされる。ちなみにストア派にとって、世界は一つだけなので、世界と宇宙を区別する必要がない。

エピクロス派の宇宙論を素描するなら次のようになろう。

宇宙のなかで、自立的に存在しているのは原子と空虚だけである。原子は物体である。

宇宙は無限大である。宇宙のなかに無限個の原子がある。

宇宙は永遠の昔から永遠の未来にわたって存在し続ける。個々の原子も、不生不滅だ。

原子には形と大きさがあり、これらはけっして変わらない。同じ形、同じ大きさをもつ原子

が宇宙に無限個ある。個々の原子には重さがある。原子の重さはその大きさに比例する。だが、個々の原子には色も匂いもないし、音も立てない。

原子は運動する。原子同士、衝突、反発、接着する。原子が群れをなすことがある。

われわれが目にする物体は原子群である。われわれが固体と捉えるものは、密集した原子群で、気体はまばらな原子群だ。

さきほどふれたが、生物の身体である原子群のなかに、魂である原子群がいきわたっている。同じ場所を複数の原子が占めることはできないが、身体である原子群も、魂である原子群も隙間だらけなので、同じ場所を共有できる。

原子群は生じ、滅びる。原子群の一部の原子が飛び出たり、新たな原子が加わったりする。生物の身体においても魂においても、構成原子は交替する。生物の入眠時、身体を充たしていた魂は大部分が身体を抜け出る。覚醒時、残っていた魂は、身体周辺の適切な原子を即座に呼び集めてもとの大きさを取り戻し、再び身体を充たす。生物が死ぬと魂は解体する。つまり、私が死ねば私は消滅する。

世界も一種の原子群である。無限大の宇宙のうちに無限個の世界がある。概して、各世界の中心に地球があり、その周りを諸天体が回転している。だが、世界の大きさやありようは無限に多様である。生物のいる世界もいない世界もあり、いる場合、どんな生物がいるのかは様々である。同じありようをした世界が無限個ある。

世界と世界の間の領域は世界内部と較べて、概して原子がまばらである。

†原子の運動の法則性と、これを破る要因

エピクロスは、原子の原則的な運動法則とでも呼びうるものを考えていたようだ。それは次のように言い表し得よう。

第一に、原子は外から力を加えられない限り、原則として垂直に落下する。第二に、原子同士の衝突の結果どうなるかについては、次のような形での法則的記述が原理上可能である。すなわち、ある方向からある速度でやってきた、ある大きさとある形をした原子と、ある方向からある速度でやってきた、ある大きさとある形をした原子とが衝突すると、原則としてかくかくの結果となる、という形である。

「原則」に対する例外に二種類ある。第一に意志という魂の働きにおいて、魂を構成する原子の運動は、この原則的な運動法則に必ずしも従わない。第二に、意志の働きを度外視しても、原子はあるとき突然、原子の原則的な運動法則が予想させる軌道から逸れることがあるとされている、と考えられる。

エピクロスはなぜ第一の例外を認めるのか。人が何を意志するかはあらかじめ決定されては

おらず、まさに意志の働きにおいて決定されると考えるからだ。だが、もし魂を構成する原子が、原子の運動法則によって完全に決定されたしかたで運動するのなら、人が何を意志するのかがあらかじめ決定されていることになってしまう。意志を含む、魂の働きは、魂を構成する原子の運動に完全に担われた形で生じるからだ。だが魂は、自分を構成する原子を、意志作用の遂行に必要なしかたで動かすことができるのだ。

エピクロスはなぜ、原則的な運動法則に対する第二の例外として、原子の突然の逸れを認めたと考えられるのか。かりに宇宙に、意志をもつ生命体がいないとしても、原子同士の衝突は起こるはずだ、とエピクロスはおそらく考えるだろうからだ。だが、もし逸れが起こらないのなら、すべての原子が同じ一定の速度で垂直に落下するだけで、相互に接触しなかっただろう、というわけだ。

†影像

エピクロスによれば、人に物体が見えるとはどういうことか。物体の表面から、影像（エイドーロン）と呼ばれる薄い膜がたえまなくはがれ出し、あらゆる方向に飛んでいっている。ある物体からやってきた影像が私の目を通過することによって、その物体が私に見えるのだという。

視覚のこの説明は次の疑問に答えうる。「触覚や味覚の場合なら、感覚対象と感覚器官が接触しているから、感覚者が対象のありようを認識できるのはわかる。だが視覚の場合、対象と目が離れているのに、どうして対象のありようを認識できるのか」という疑問である。エピクロスは次のように答えうる。ある物体の表面からはがれた影像は、その物体のコピーとしてそのありようを伝える。これが視覚器官のところまでやってくるから、対象のありようを認識できるのだ、と。

遠くの四角い塔が丸く見えるのは、影像が長距離を飛んでくる間に、一部かすれてくるからだとされる。

エピクロスは、視覚のみならず聴覚、嗅覚も影像によって説明する。物体からはがれ出した聴覚向け影像が耳を通過することで、音が聞こえるとされる。

感覚のみならず想像も、影像によって説明される。人が半人半獣の生き物のイメージをもつのは、人間から飛んできた影像と、獣から飛んできた影像がぶつかってできた影像が人の身体に入るからだ。人が何でも望むものを心に思い浮かべられるのはどうしてか。人の周囲には、あらゆるものからやってきた影像がひしめいていて、人は意志によってそうした影像のうちの適切なものを身体内にとりこみうるからだ。

†価値論

エピクロスによれば、善いとは、快いか、快を生み出しうること、悪いとは、苦痛であるか、苦を生み出しうることである。

快は複数の観点から区別される。第一に、飲食の快などの「身体の快」と、哲学の快などの「魂の快」が区別される。魂の快のほうが快いとされる。

第二に、苦を取り除く過程で生じる快である「動的快」と、取り除くべき苦がそもそもないことの快である「静的快」が区別される。空腹時に食べるときの快は動的、そもそも空腹でないことの快は静的である。静的快のほうが快いとされる。

また、「不要な欲求」と「必要な欲求」が区別される。健康の維持に必要な食物への欲求は必要だが、グルメ三昧への欲求は不要である。名誉への欲求も不要だ。不要な欲求はもたないのがよい。必要な欲求を満たすのは実はそう難しくない。

幸福とは、アタラクシアー（無動揺）、すなわち、心身が苦痛でかき乱されていない、静的快の状態である。

魂がかき乱されるから、政治には携わるべきでない。「隠れて生きよ」。

†哲学によるアタラクシアーの促進

エピクロスによれば、哲学はアタラクシアーを実現する鍵である。なぜなら、人間をアタラクシアーから遠ざけている主な要因は二つあるが、いずれも哲学的認識によって取り除きうるからだ。その二つの要因とは、第一に、神から罰されるのではないかという恐れ、第二に死への恐れである。

第一の、神罰への恐れは、神は人間を罰したりしない、という認識によって取り除きうる。神とは完全な存在であり、みずからのありように満足しており、もはや何もする必要はない。だから人間のことに介入する理由がない、というのだ。この言い方は、エピクロスが神を、満足感のような思いを抱く自立的存在者と捉えていると思わせるかもしれないが、この点については後述する。

神罰への恐れを取り除くために、エピクロスはまた、一般に神の仕業とされる諸現象、例えば雷を、原子論的自然学によって説明してみせる。

エピクロスは宗教を非難する。宗教は神罰への恐れを人の魂に植え付けるからである。

人間をアタラクシアーから遠ざけている第二の主な要因、死への恐れは、エピクロスによれば、次の議論によって取り除きうる。人が何かを恐れるのが理に適っているのは、それが人に害、つまり苦痛をもたらす場合に限られる。だが人が死ぬことは、人に何の害ももたらさない。生きている間、死は害をもたらさない。死はまだ来ていないからだ。死んでからも死は害をもたらさない。その人はもういないからだ、というのだ。

†神

エピクロスは神々の存在身分をどう捉えたか。二つの解釈がある。

第一の解釈によれば、神々は、世界と世界の間の領域で軽やかに漂う原子群である。この軽やかさが神の不滅性を可能にする。物体として、神の表面からも影像がはがれ出し、飛んでいく。そのあるものは、われわれの住む世界に達し、中に入る。われわれの身体は睡眠時、神の影像をとくに取り込みやすくなる。こうしてわれわれは夢に神の姿を見、神の観念を形成する。

エピクロスによる神の捉え方の第二の解釈によれば、われわれ人間は、幸福とは何かについての了解をもっており、その理想的状態を視覚化しようと、その了解内容を無意識のうちにわれわれの前に投影し、幸福なる存在つまり神々の影像を生み出す。こうして神々の姿を見てわれわれは、神々が自立的に存在していると思う。フォイエルバッハを思わせる考えだ。

たしかに、エピクロス派の文書の中に、第一の解釈を支持するような文言があるが、それはこの第二の解釈によれば、神の自立的存在を否定することが危険な時代・社会にあってエピクロスが、自分の本当の考えをオブラートに包んだり、通念に妥協したりして述べた結果だという。

エピクロス派の記述の結びに、原子論について一言。近代科学は原子論的な枠組みを採っている点で、デモクリトスやエピクロスの自然学に通じる。ただし、近代科学による、物体の運動法則の数学的定式化は、これらの古代人には思いもよらなかっただろう。

4 懐疑派

ヘレニズムの懐疑派にはピュロン派とアカデメイア派がある。

ピュロンを祖とし、アイネシデモス(前一世紀)が復興したピュロン派では、各問題について判断保留にいたるために、次の方法がとられた。ある説に説得力が認められるとき、これと反対の説にも同等の説得力を認めていき、両説間に均衡をもたらす、という方法である。

プラトンがアテナイに開いたアカデメイアは時期により異なった学風を示したが、アルケシラオス(前二六五頃学頭)、カルネアデス(前一二九没)が学頭の時期は、懐疑派の立場を示した。

懐疑派にとって世界は次のような場所であろう。第一に、論争しながら懐疑的探究を続けていく場所。第二に、それについて確実なことは何も知りえないにもかかわらず、そのつど当座の判断を下して行為していかなければならない場所である。

ストア派とアカデメイア派の応酬の一つを紹介する。外界について確実に知る可能性を確保しようとしてストア派は、「把握的」表象と呼ぶものを導入した。じつに明瞭であるために、これに同意を与えても誤る恐れのない表象である。これをカルネアデスは次のように批判した。かりにそのような表象が存在するとしても、自分がいま、確実だ、つまり把握的だと思って同意を与えた表象がほんとうに把握的かどうかを確かめるすべはないではないか、と。近代認識論のアポリアに繫がる視点がここにある。

さらに詳しく知るための参考文献

A・A・ロング著、金山弥平訳『ヘレニズム哲学』（京都大学学術出版会、二〇〇三年）……ヘレニズム哲学の教科書の決定版。世界的権威がバランスよく目配りを利かせ、明確・丁寧に叙述。

内山勝利責任編集『哲学の歴史2 古代Ⅱ 帝国と賢者』（中央公論新社、二〇〇七年）……ヘレニズム・ローマの哲学、新プラトン主義などを扱う。執筆者（小池澄夫、神崎繁、金山弥平、國方栄二、荻野弘之ら）の個性を示す立ち入った記述。書誌情報、コラム、図像なども充実。

神崎繁、熊野純彦、鈴木泉責任編集『西洋哲学史Ⅱ――「知」の変貌、「信」の階梯』（講談社選書メチエ、二〇一一年）……「1 ヘレニズム哲学」（近藤智彦）の叙述は短いが堅実で見事。研究史や研究状況にも言及。書誌情報も充実。

第10章 ギリシアとインドの出会いと交流

金澤 修

1 異文化交流が実現した歴史的背景

†両文化の接触の発端

古代文明が栄えたギリシアとインド。異なる文化的伝統のもとで発展した両思想の出会いは、歴史的には偶然的要因が積み重なった結果とも言える。だがそれを出発点として、後に起こった両思想の交流は、或る意味では必然であった。本章では最初に、この二つの思想が出会うこととなった経緯を概観しよう。

アケメネス朝ペルシアを前三三〇年に滅ぼしたマケドニアのアレクサンドロス大王は、前三二六年、さらにインダス川を渡ってインドのパンジャーブ地方にまで到達した。その後、ガンジス川まで行こうとした彼は、部下の反対を受けてマケドニアへの帰国の途につくが、果たせぬままに前三二三年に死去する。アッリアノス『アレクサンドロス大王東征記』(第七巻第一節)、プルタルコス『英雄伝』「アレクサンドロス伝」(第六五章第一節以下)、ストラボン『地誌』(第一五巻第一章第六三節以下)などの資料によれば、アレクサンドロスは遠征の最中にインドの「賢者」たちと出会い、複数の通訳者たちを通して問答をしたという。タキシラ近くではさらに「裸の賢者」を見つけ、そのうちの一人、ブラフマンという推定が有力なカラノスなる人物を同道させたという。彼は後にペルシア付近で体調を崩し、生きながらの火葬を申し出て決行されたという。おそらくこれがギリシア思想とインド思想の直接の出会いの一つだと考えられる。

†戦争と講和、そしてギリシア人の入植

大王の死後、バクトリアという古名で知られるアフガニスタン周辺を巡って後継者争い、通称「ディアドコス戦争」が麾下の将軍達の間に発生した。結果として、旧ペルシア帝国の領土を継いだセレウコスによってセレウコス朝シリアが建てられることとなる。他方、前三三〇年頃、インドではナンダ朝を倒したチャンドラ・グプタによって初の統一王朝マウリヤ朝が成立し、かつてアレクサンドロスが占有していた地域を取り戻すべく西進する。前三〇六年以降、セレウコス朝とマウリヤ朝とはたびたび争うこととなる。だが戦況は膠着し、やがて講和を選択することとなった。

少しばかり時代は下るが、バクトリアの地方総督を任じられていたセレウコス朝のディオドトスは、自らの王国を前二五五年前後に建てる。これ以降、バクトリアおよびその周辺にはギリシア人による諸王朝が建国され、その支配はやがてパンジャーブ地方にまで及ぶ。

ギリシア思想とインド思想との出会いはこのような背景のもとで起こった。もちろん、それ以前にもギリシアにはインドについての情報はもたらされていた。しかしながら、両者の媒介となっていたペルシア帝国が東征によって瓦解したことで、図らずもギリシア文化はインド文化に直接触れることになるのである。バクトリア周辺地域で両者の接触が始まったことは、その後の「東洋・西洋」の哲学史的な境目が初めて失われたことを意味する。

2 ピュロンにおけるインド思想との接触

†懐疑主義者ピュロンと東征部隊

アレクサンドロス大王の一行には、アリストテレスの甥カリステネス、後に懐疑主義の祖と位置づけられたピュロン（第9章参照）、およびその師であるアナクサルコスが加わっており、そこに東方思想との接触と対話があったと推測することは不可能ではない。このような経緯か

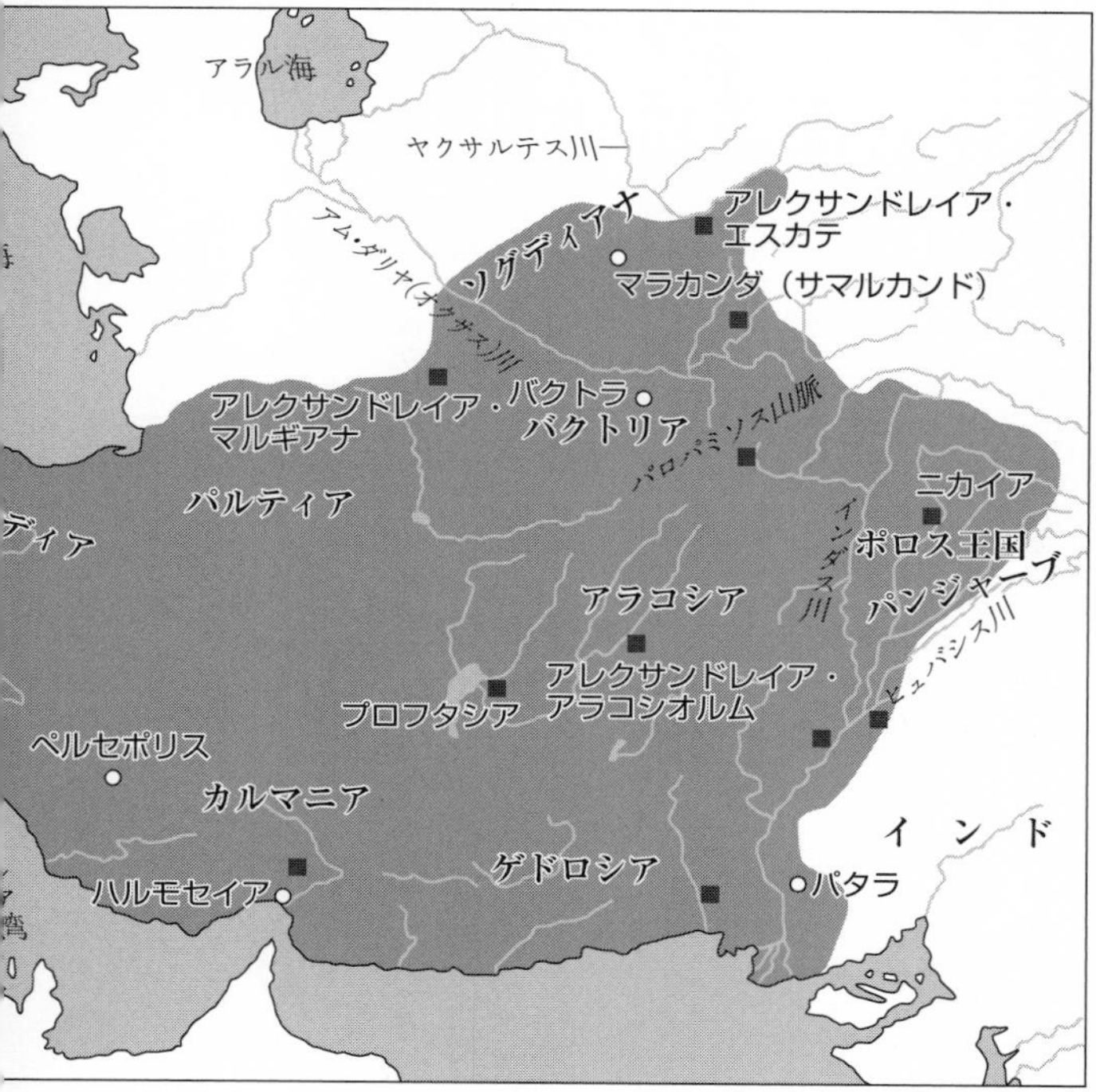
アラル海
ヤクサルテス川
アム・ダリヤ(オクサス)川
ソグディアナ
アレクサンドレイア・
エスカテ
マラカンダ（サマルカンド）
アレクサンドレイア・
マルギアナ
バクトラ
バクトリア
パロパミソス山脈
パルティア
ディア
ニカイア
インダス川
ポロス王国
パンジャーブ
ヒュパシス川
アラコシア
アレクサンドレイア・
アラコシオルム
プロフタシア
ペルセポリス
カルマニア
インド
ゲドロシア
パタラ
ハルモセイア

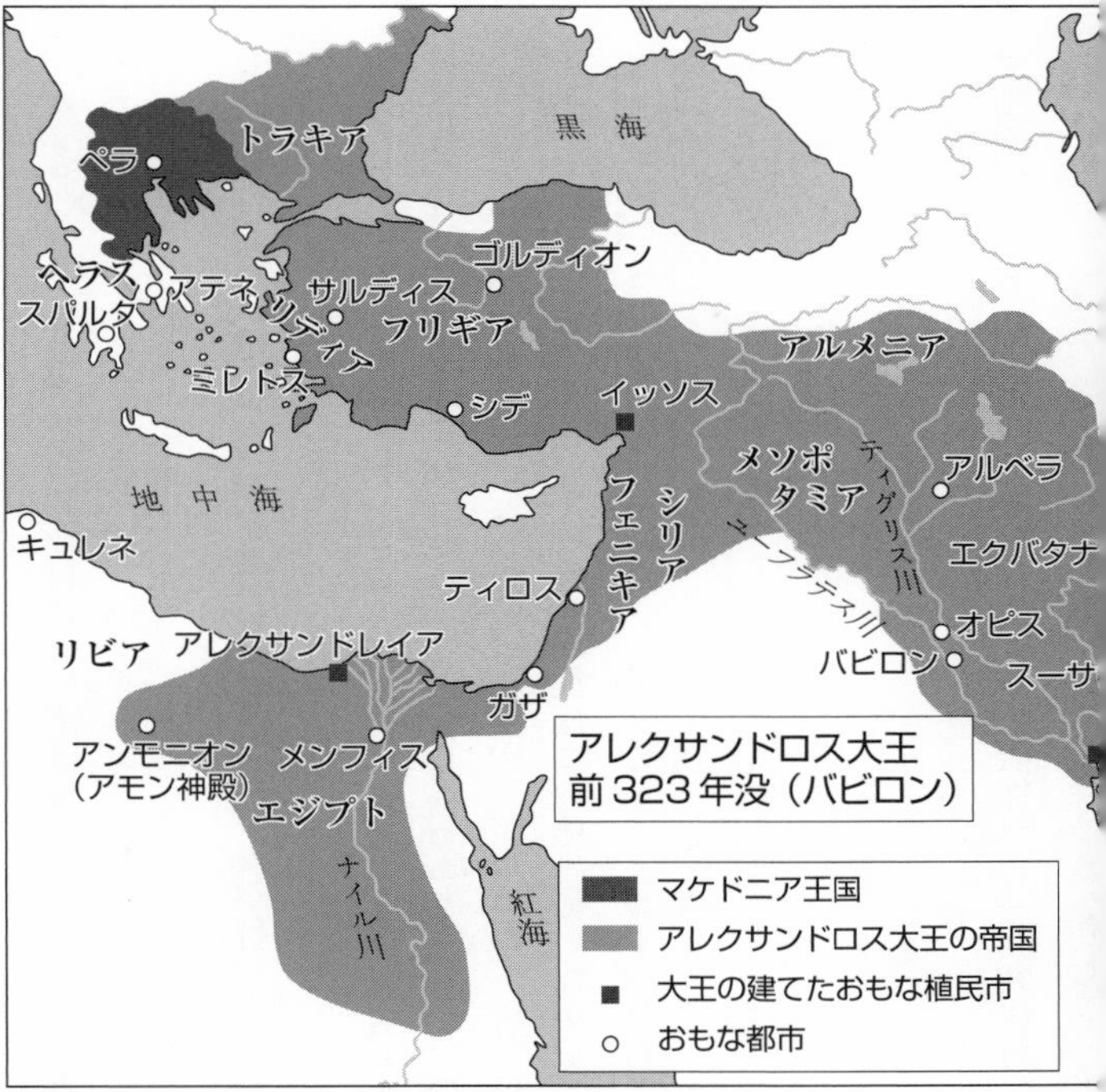

アレクサンドロス大王の帝国（紀元前 336〜前 323 年）

ら、ピュロンとインド思想を関係付ける研究者もいる。実際、これを巡っては後三世紀の哲学史家ディオゲネス・ラエルティオス『ギリシア哲学者列伝』に以下のように報告されている。

ピュロンは（略）アナクサルコスに学んだ。この人が行くところならばどこにもついていったので、インドの「裸の賢者」や「マゴス僧」とも交流があったという。このことから最も高貴な仕方で哲学活動を行ったように思われる。つまり「（事物のそれ自体としてのあり方の）把握不可能性・アカタレープシア」と「（その事物のあり方についての）判断保留・エポケー」という議論の種類を［哲学に］に持ち込んだからであるが、これはアブデラのアスカニオスが主張していることである。というのも彼はこう述べていたからである。何一つとして美しいものも、醜いものも、正しいものも、不正なものもない。同様に、あらゆる事柄について、真実に「（そのようなもので）ある」ものはなく、全てのものは、法律によって、また習慣によって、「そのようなものである」と人間たちがしているだけだからと。（ディオゲネス・ラエルティオス『ギリシア哲学者列伝』第九巻第一一章六一節）

この記述では、インド人やペルシア人との出会いの後、「このことから」という因果関係を示す接続詞が使われ、ピュロンは「把握不可能性」と「判断保留」に達したとも読める。では何らかの影響関係は認められるのだろうか。そもそもピュロンと似た思想はあるのだろうか。インド思想をピュロン主義と比較してみよう。

†サンジャヤの懐疑主義とピュロン主義

仏教が興った時代とは、それまでの権威であったバラモン教に対して、いくつもの反権威主義的な思想が成立したときでもあった。その一つ、サンジャヤ・ベーラッティプッタ（前五世紀頃か）が率いる学派は注目に値する。『ディーガ・ニカーヤ』の中の一編、『沙門果経・サーマンニャパーラ・スッタ』には、来世について問われたサンジャヤが、その存在はもとより、善悪の業の報い等といった日常生活を離れた問題に対し、どちらとも断定せず、自身の確定的な主張を行わないなどの答えをしたという。これはインドにおける懐疑主義とも言える態度であり、ピュロンの「把握不可能性」や「判断保留」と類似したものとも受け取られるだろう。だがこの学派のアレクサンドロス時代の実態は不明であり、ピュロンへの接触とそれによる影響関係を認めることには否定的にならざるを得ない。

†仏教とピュロン主義

日常の修行の実践とは関わりのない問題に対して、自身の主張を保留するというサンジャヤのような態度は、仏教では「無記」と言われる。『マッジマ・ニカーヤ』のなかの「毒矢の喩え」では「世界は永遠か否か、有限か無限か、生命と身体は同じか異なるか」など、ギリシア哲学でも問われた一連の疑問を抱くマールンキャ・プッタに対して、ガウタマ・シッダールタ、いわゆる覚者ブッダ（前五世紀頃）は答えない。何故ならこれらの問いが苦を滅し、心の平安をもたらすという仏教の目的に合わないからである。これは究極的に「心の平穏・アタラクシアー」を求めたピュロンの立場を彷彿とさせる。

また仏教には、あらゆる存在は何らか一つの「我」（サンスクリット語で「アートマン」、パーリ語で「アッタン」）と呼ばれる実体を中心に成立しているのではなく（諸法無我）、多くの要素が寄り集まってそれを構成し（縁起）、しかもその要素は不断に変化していく（諸行無常）という思考がある。生におけるあらゆる苦悩は、諸法無我にして諸行無常、全ては縁起によるという事実を受け入れられずに、対象が示す一時の「あり方」に執着するところに原因があると言うのである。つまり「対象XはAである」と、個々の存在を一つの要素の「実相・あり方」に帰着させないのであり、これは相対的観点を背景に事物の「あり方」に対して「判断保留」をするピュロンの主張と似ているようにも見える。

しかしながら、仏教の出発点は「世界は苦に満ちていること」、言い換えれば「世界（という対象）は苦である」という認識である（一切皆苦）。さらに「苦には原因がある」など、仏教は世界そのものの「あり方」について、人間の側による真なる「知」の存在を認めている。だからこそ「無知」から解き放たれた人「覚者・ブッダ」が成立するのであって、仏教の根源には「尊い真理」が必要である。それに対してピュロンは、「対象Xそれ自体はAであるともAでないとも判断しない」ものの、「知覚を通して対象Xは私にAとして現れている」ことは否定しない。「対象Xそれ自体のあり方」について判断を控えているだけである。

両者の思考を比較してみると、個別の事物の「あり方」についてはは類似した立場をとるものの、対象の一義的な把握の不可能性をあくまでも主張するピュロンと、「世界のあり方」については「真理」の把握を前提としている仏教とは異なっている。

†ジャイナ教とピュロン主義

「判断保留」に関しては「不殺生・アヒンサー」を標榜したジャイナ教にも触れなければならない。事実上の始祖であるニガンタ・ナータプッタ（前五世紀から前四世紀頃）は議論において「XはAである」、或いは「Aではない」という一義的な断定を避けること、またそれにもかかわらず主張を行う際には、「或る観点からすれば」という限定を付けることで対象に対する相対的な視点を主張したという。それ故にこの派は、「観点が相対的な理論」や「一つの観点からではない（多様な）理論」と他の派から呼ばれたという。こうしてみるとニガンタのこの立場はピュロンと非常に類似している。アレクサンドロスの東征当時、ジャイナ教の出家者は各地に存在していたことから、「裸の賢者」が彼らであった場合、接触は不可能ではない。

けれどもジャイナ教が中心的な教義としていた「不殺生」は、上記のような懐疑的な立場とは相反する。というのも「不殺生」の対象が「生物」である以上、それを無生物と区別するための体系的理論が必要だからである。実際、ジャイナ教は原子論を中心とした自然観を有しており、生物と無生物の区別はその中で規定されている。この点が始祖や初期ジャイナ教に遡るとすれば、ピュロン主義とは異なった立場にいることになるだろう。さらに修行の目的は仏教同様に解脱であるが、これもまた輪廻が存在するという判断を前提にしなければ成り立たない。こうしてみると、ピュロン主義がジャイナ教から強い影響を受けたとすることは躊躇《ためら》われる。

とはいうものの、もしも彼らがピュロンらと「或る観点」を使った議論をしたとすれば、そのスタイルが後日のピュロンの立場のヒントとなった可能性は否定できない。しかしその一方で、プロタゴラス以来の「相対主義」の伝統を視野に入れる限り、東方思想がピュロン主義を形成するために積極的な役割を果たしたと考えなくても、それ以前のギリシア思想によって説明できるとするギリシア哲学史家もいる。いずれにせよ、先の接続詞は、厳密な思想的因果関係を示すものとは取れないだろう。

ピュロンにおいてインドの影響を認めうる点が一つ存在する。それは彼の生活態度である。それが窺われる一節をやはりディオゲネス・ラエルティオスから見てみよう。

†出家主義の影響

ピュロンは（アンティゴノスによれば）世俗から退いて孤独に暮らしていた。そのため、家人にも姿を見られることがまれであった。これは、或るインド人が［師である］アナクサルコスに「自分自身が王宮に仕えているようでは、人を立派に教えることなどは出来ない」と非難したのをピュロンが聞いたからである。（『ギリシア哲学者列伝』第九巻第一一章六三〜六四節）

アレクサンドロス一行の記録によれば、インドの賢者たちは政治に関わるものたちと、遊行生活を送るものとに分かれていたようである。さらに後のメガステネスでは、遊行者には「森林に生きるもの」がいると報告されている。ピュロンらにどのようなタイプの賢者がアドバイスしたかはわからないが、おそらくそれを受け入れてこのような生活を送ることとなったのではないかと推測される。というのも、孤独のうちに哲学的生を営むことは、対話を重んじたソクラテスはもとより、その学風を継いだプラトン、アリストテレス、さらに共同体生活を送ったエピクロスにとっても考え難いことだからである。

3　アショーカ王碑文における両思想の融合

†仏教を記したギリシア語

次に見るのは、ピュロンとは異なり、インド思想の側からギリシア思想へのアプローチである。それは単なる接触ではない。インド思想の一つである仏教について、ギリシア語を用いた、いやギリシア哲学の用語による翻訳である。

漢訳仏典においては音写で「阿育王」、意訳で「無憂王」として知られるアショーカ（在位、前二六八頃〜前二三二頃）は、チャンドラ・グプタより続くマウリヤ朝の三代目である。彼は軍事活動に積極的で、隣国カリンガとの戦争を遂行したが、結果的に数十万人の死者を出すこととなり、強く後悔した。これによりそれまで形式的に帰属していた仏教への信仰を以降は強めることとなる。その結果、軍事的統治を放棄し、「仏法」に基づいた統治へと政策を転換した。そして、カリンガ戦争における自らの殺生への反省の意や、自らが進める仏教的な統治理念を石柱や石、磨崖などに刻んだ。今日、「アショーカ王碑文」と呼ばれるものである。これらは現在のインドからはもちろん、東方はネパール、西方はアフガニスタン、パキスタンでも見つかっている。中で最も有名なのは「磨崖法勅」であり、一碑文あたり一四章に区分された王の文言を記している。それらはインド文化圏での初期段階の文字記録の一つで、表記にはカローシュティー、ブラーフミーの二つの文字体系が使われている。言語はプラークリット語ともパーリ語ともマガダ語ともされ（本章では便宜上「パーリ語」）、各地域の方言体が反映されている。

これらパーリ語碑文に加えて、アフガニスタンのカンダハルでは、一九五八年にギリシア語とアラム語で記された碑文が発見された（以下「第一碑文」）。さらに一九六三年には、ギリシア語で記された碑文が、やはりカンダハルの市場でドイツ人によって購入されている（以下「第二碑文」）。ここでは「第一碑文」を見てみよう。というのも、パーリ語アショーカ王碑文の内容を比較的忠実に再現している「第二碑文」に対し、「第一碑文」は、訳者のオリジナルとも思われる翻訳がなされており、そこに「世界哲学」の誕生の瞬間を見ることができるからである。そしてそこからは、一方でアショーカ王の仏教理念に寄り添いながら、他方でギリシア哲学にも通暁している、翻訳者の知的背景が読み取れる。この翻訳が示すのは、ギリシア思想とインド思想の或る種の融合である。以下、この碑文のギリシア語訳を掲げよう（訳文中で［　］内は補い）。

アショーカ王の添え名は、パーリ語で「喜ばしい外見」を意味する「ピヤーダシ」、あるいは「プリヤーダルシ」であるが、これはギリシア語で「ピオダッセース」と音写されている。漢訳ではさらに別の添え名「天愛」とともに「天愛喜見」ともされる。碑文は仏教的倫理規範の一部とその遵守を彼が語りかける形式をとっている。

†ギリシア語翻訳者の仏教理解と知的背景

この碑文の翻訳者はどのような人物なのだろうか。その知的背景を推測させるためにポイントとなる箇所を三つあげよう。まず二行目では「仏法」（サンスクリット語でダルマ、パーリ語でダンマ）にギリシア語で「敬虔」を意味する「エウセベイア」があてられ、さらにそれを目的語とする動詞「示す」が合わされて「王は仏法への帰依を示した」と訳されている。重要なのはこの「エウセベイア」が、崇高なものを崇高と認める、ギリシア思想における重要な徳目の一つということである。つまりこの語を使うことによって、アショーカ王は、ギリシア語の文脈で有徳者として位置付けられるとともに、統治理念である「仏法」が、敬虔の念を抱くべき規範であることも、この碑文の読者に示すことになっている。

二つ目は六行目「王は生命あるものの［殺生を］控えており」という一文で使われている「控える・アペケタイ」である。というのもこのギリシア語の名詞形「控えること・禁忌・アポケー」は、「生命あるもの［を食すること］の禁忌」としてピュタゴラス派で使われる語彙だ

1	［灌頂から］10年が満ちて、王・
2	ピオダッセースは人々に仏法［への帰依］を示した。
3	その時より王は人々を
4	より法を尊重するものとなし、そして万物は
5	全ての地において繁栄しているのである。
6	そして王は生命あるものの［殺生を］控えており、［王以外の］残りの人々はもとより、
7	王の狩猟官も王の釣魚官も、［王に属する］それらの人々全てが
8	狩猟［も釣魚も］止めて［現在に至って］いる。
9	さらに［かつては］それらに無抑制な人々が［いたと］しても、彼らは［現在では狩猟・釣魚など殺生の］
10	無抑制を可能な限り止めるに至っている。そして人々は以前［のあり方］とは反対に、父と
11	母とにも、さらに年長者にもよく従うようになり、
12	そして万事においてそうなすのであれば、
13	今後もより良く、そしてより善く
14	人々は過ごすこととなるだろう。

からである。ピュタゴラス派も輪廻思想を有し、それ故に肉食を控えていることを考慮するならば、「第一碑文」の訳者は、仏教で殺生禁止が輪廻と深い関わりを持っていることを理解した上で、同様の主張をしているピュタゴラス派の語彙を選んでいると考えて良いだろう。こうして見ると「第一碑文」をギリシア語に訳した人物は、肉食の禁忌などの仏教倫理や輪廻思想の存在など様々な点を認識して翻訳を行っているように思われる。

†「無抑制」とギリシア哲学

三つ目に注目したいのは、九行目の「無抑制な人・アクラティス」、一〇行目の「無抑制・アクラシア」という二つの語である。アクラティスは「それが悪いと知りながらも、目先の快楽に引き寄せられて行ってしまう、悪に対して抑制が利かない人」、アクラシアは「その状態」を意味しているが、このギリシア語は、主知主義的な立場をとるソクラテス以来、ギリシア哲学で繰り返し論じられた問題を表す。ならば翻訳者は当時のインドの実情に対しこの問題を重ねていたことになろう。では当時の人々はどのような悪に対して無抑制とされているのか。これはパーリ語版の「磨崖法勅」を参照すれば明瞭である。

ここでどのような生物も殺生して供犠がなされることが無いように、（中略）というのも、アショーカ王はそのような祭礼集会に多くの悪を認めるからである。（中略）以前はアショーカ王の王宮の調理場で、日々、多くの生命あるもの達がスープのために殺されていた。（ギルナール出土「アショーカ王磨崖法勅」第一章）

この碑文からは、供犠や食事のために殺生をする悪徳がかつては蔓延していたものの、徳目を具現した王によって、いまや抑えられたことが読み取れる。しかもかつてその悪徳を有していたのは被統治者のみならず、統治者であるアショーカ王自身も含まれるとも述べられている。こうしてみると、当時の人々が「それが悪いと知りながらも行ってしまう悪」とは、殺生であり、この規範の順守を巡って「無抑制な人・アクラティス」、「無抑制・アクラシア」という語彙は使われたと考えられる。

ところで一〇行目の「無抑制・アクラシア」は、「アクラテイア」という同じ意味の新らしい形で、アリストテレスは使っていてもプラトンは使っていない。するとこの翻訳者は、アリストテレス及びペリパトス派に関わりがあった可能性がある。

さらに付け加えなければならないのは、この「無抑制」という表現に対応するパーリ語はアショーカ王碑文には認められないことである。パーリ語には「無抑制」という意味を持つ「抑制・グッタ」に否定辞「ア」が付された「アグッタ」、同じく「サンヤマ」に否定辞がつけられた「アサンヤマ」があるものの、それらはアショーカ王碑文には使用されていない。つまり「第一碑文」の「アクラシア」はパーリ語アショーカ王碑文の直訳ではなく、ギリシア語翻訳者独自のインド理解が反映したものだと考えられるのである。

†ギリシア語碑文の読者は存在したか？

哲学用語を配したこの碑文を住人たちは理解できたのか。明確な答えはないが、ヒントは存在する。「第一碑文」の周辺地域、現在のアフガニスタン国境付近、アム・ダリヤ（オクサス）川とコクチャ川の合流地点に存在した古代都市、アイ・ハヌム――アレクサンドロスが遠征の途上で建てた「アレクサンドレイア」の一つと推定される――からは、アリストテレス的な術語でプラトンのイデア論を扱ったパピルス断片が発見され、またデルフォイ神殿に刻まれていた箴言を記した石碑が、それを書き写してこの地までもたらしたペリパトス派とおぼしき「クレアルコス」なる人名とともに出土している。それらからは少なくともギリシア哲学がこの地域まで及んでいたこと、そしてそれに接していた読者がいたことが明らかとなっている。

ギリシア思想とインド思想との接触、交流、影響の考察という本章のテーマに即して言えば、歴史上の偶然の積み重なりであるとは言え、「第一碑文」はその一つとして位置付けられよう。翻訳者（たち）が携わった「第一碑文」は、インド文化圏にまで達し、それどころか仏教思想の代弁者となった、ギリシア哲学の新たな姿だと言って良いだろう。

4　対話篇としての『ミリンダ王の問い』

†作品成立の背景

ギリシアとインドの間では、時が経つにつれて積極的な対話も行われるに至った。バクトリア周辺のギリシア王の一人ミリンダは、「アラサンダ」から自身の疑問を解決すべくやってきて、仏教僧ナーガセーナと対話をしたという。これをパーリ語で記録したものが『ミリンダ王の問い、ミリンダ・パンハ』と伝えられる作品である。「ミリンダ（Milinda）」とは、前二世紀半ば（前一五〇頃〜前一三〇頃）に在位していたバクトリア王「メナンドロス（Menandros）」の音韻変化で、「アラサンダ（Alasanda）」とは、アレクサンドロスによってバクトリア周辺に複数建てられた都市「アレクサンドレイア（Alexandreia）」の一つであろう。王によればその街は「島（あるいは中洲）」にあるとされているが、詳細は不明である。

この作品は様々な増補を後代に受けているが、二つの漢訳バージョンで伝わっている『那先比丘経』との一致箇所が古層を示しているという推定が一般になされている。その成立過程として、失われたサンスクリット語原本を推定している研究者もいれば、プラークリット語版を推定している研究者もいる。だがとりわけ興味深いのは原型がギリシア語であったという説である。前二世紀半ば以降に成立したギリシア語での書『アリステアス書簡』との人物名や形式上の類似が多いというのがその根拠であり、ミリンダ王の死後、過去の記録をもとにして、ギリシア語の原本が書かれたというのである。いずれにせよ本作品の原型の成立は、前一世紀前半から半ば頃と考えられている。

†人格的主体の否定――「私」とは何か

原本の言語の問題はともかく、この対話篇で討論されているのは、無我説と輪廻思想の調和といってよい。無我説はウパニシャッド思想が「真実の自己」として「我・アートマン」を追究し（有我説）、それを宇宙の究極原理「梵・ブラフマン」と一致させようとしたこと（梵我一如）に対する批判と位置付けられるだろう。以下ではその議論を追ってみよう。ミリンダ王は対話相手の尊者が何という名前かと問う。或る「名」のもとに呼ばれている対象はどのような存在なのか。これに対し尊者ナーガセーナはこう答える（以下の引用では、パーリ語原典のトレンクナー版の頁付けを付記する）。

王よ、私はナーガセーナとして知られています。修行者仲間は私をナーガセーナと呼び習わしており、母父はナーガセーナとか、スーラセーナとか、シンハセーナとか（中略）。しかし王よ、その「ナーガセーナ」というのは呼称、通称、仮の名、慣用名、単なる名なのです。そこには「人格的主体・プッガラ」が存在することは認められません。（トレンクナー版二五頁七〜一三行）

「人格的主体」としたパーリ語の「プッガラ」は、サンスクリット語で「プドガラ」であり、「この私をこの私にしているもの」、「自己自身、魂」とも言える単語であり、「我」（サンスクリット語でアートマン、パーリ語でアッタン）とほぼ同義である。これに対し王はこう答える。

尊者ナーガセーナよ、それではもし「プッガラ」が存在しないならば、（中略）誰が戒律を護るのですか？　誰が修行に専心するのですか？　誰が修行の結果である涅槃を悟るのですか？（中略）ならばそれ故、善なる行為は存在せず、不善なる行為も存在せず、様々な善や不善なる行為の行為主体も存在せず、或いはそれらの行為をなさせしめる主体も存在せず、諸々の善くなされた、或いは悪くなされた行為の結果としての報いも存在しないのです。（トレンクナー版二五頁一七〜二七行）

「人格的主体・プッガラ」が存在することを否定するナーガセーナに対して、ミリンダ王は、罪悪を犯した人間に行為主体がないならば責任はどこにあるのか、贈与を行うのは何か、戒律の遵守を行うのは何か、などの質問をぶつけている。

これに対しナーガセーナは「車の比喩」によって自らの立場を説明する。「車」とは何か、それを構成する車輪や車軸や車体が「車」なのか。いやそうではない。「車」とは、それを構成する様々な部分に「縁《よ》って」成立した名称であるに過ぎず、その名称を担う「車」という構成要素は「車」の中には認められない、と。この説明を王が受け入れるとナーガセーナはこう述べる。

王よ、あなたは適切に車というものを理解しました。王よ、まさに同じことは私にも（当てはまり）、頭髪に縁って、体毛に縁って（中略）、身体の形に縁って、快と苦の感受作用に縁って、表象作用に縁って、行為を行う意志の形成作用に縁って、識別認識作用に縁って、「ナーガセーナ」という呼称、通称、仮の名、慣用名、単なる名が起こるのです。けれども本来の意味においては、「人格的主体・プッガラ」は存在しないのです。尼僧ヴァジラーによって、王よ、この言葉が、尊師の面前で唱えられたのです。

「諸部分が集合することで「車」という言葉があるように、構成要素が存在することで「生

命あるもの」という表現がある。」（トレンクナー版二七頁三〇行～二八頁八行）

構成要素は「五蘊」と伝統的に訳されてきた。名称を持ち存在する全ては、要素が縁りあうことで出来ているのであって、何らか一つの本質によって成立してはいない（五蘊皆空）。人間の名前とは、それを構成する要素の集合体につけられているに過ぎず、諸要素の中には、個人を個人としている唯一の実体は存在しないというナーガセーナの説明は、二〇世紀の分析哲学者・ギルバート・ライルによる魂をめぐる考察を彷彿とさせ、興味深い。

†果たして哲学的対話は成立したのか

無我説を即座に受け入れたミリンダ王であるが、対話全体を見てみるとそうではないようである。そもそもミリンダ王は「人格的主体」を、戒律を遵守するか否かなど行為を選択する行為者として理解した上で、それがどこに存するのか、いわば「有我説」の立場から問いを発していた。確かに主体を想定すれば責任の所在は明らかだが、「無我説」ではそうではない。実際、輪廻説と組み合わされると、行為者と責任の問題は複雑な様相を呈する。

「尊者よ、何ものが輪廻するのですか?」「王よ、名前と形（身体）が輪廻するのです」「では、（現在の）この名前と形が輪廻するのですか？」「王よ、この名前と形が輪廻するのではありません。この名前と形によって善なる行為（善業）を、或いは悪しき行為（悪業）をなし、その行為によって別の（来世の）名前と形が輪廻するのです。」「尊者よ、現在の名前と形が輪廻しないなら、輪廻する人は諸々の悪業から逃れることになるのではないでしょうか？」

（トレンクナー版四六頁五〜一一行）

善業、悪業の「業《ごう》」、サンスクリット語「カルマン」は、一般にカルマとして知られる。単なる行為を意味する場合もあるが、輪廻思想では、前世の善い行為は来世で善い結果を、悪しき行為は悪しき結果をというように、転生に際して働く作用力である。悪人が現在とは別の名前と身体を持って転生するのであれば、業の作用を受け取る対象は前世とは別人であり、悪業から逃れるのではと王は訝り、その仕組みの説明を求める。これに対しナーガセーナは、因果関係として働く業の理論を前提に、行為者は現在とは異なる名前と身体で輪廻しても、悪業もそこに引き継がれると述べるに留まり、王の要求に対して十全ではない。

もともとミリンダ王は、「何が行為を選択し、何にその責任を帰するのか」と、無我説に行為者と責任の説明を求めていた。これに対しナーガセーナは、その立場から、人間存在の分析や名称と実体の関係について返答していた。結果として見る限り、二人の応答には何かズレが存在しているようだ。喩えるならばこうである。車には車輪と舵取り装置があり、御者に鞭打たれれば車は右にも左にも曲がる。これが車と呼ばれるが、構成要素のどれ一つも車ではない。ナーガセーナの説明である。だが実際に馬が鞭打たれて車が左ではなく右に曲がるとき、その御者とは何なのか。王はこれを問うていたのである。

†対話がもたらしたもの

『ミリンダ王の問い』に存在するズレは、最終的には輪廻思想での業の形成作用と無我説との調和の問題に収斂する。ギリシア人であるミリンダ王は、縁起説など仏教の根源的思考を理解できたとしても、それとは別に輪廻思想を受け入れたとしても、行為者と責任という観点で二つを統一的に理解できたかという点では疑問が残る。これはさらに後でも、「身体内部に存する生命」を行動原理として想定していることからも窺われる。

それ故に『ミリンダ王の問い』は嚙み合わない対話篇とも言えるのだが、なお評価すべき点が存在する。何故ならギリシアでもインドでも常に問題となっていた身体と魂、魂と行為主体などの問題、さらにインドの中心的な思想である輪廻の構造について、ギリシアの立場から質疑がなされることで、相互の思想の一致点と不一致点が明らかになったからである。その限りで『ミリンダ王の問い』は、ギリシア思想史にもインド思想史にも属するといえるであろう。

さて、本作品にはミリンダ王が仏教に帰依したという後日談がある。これは劇中の報告ゆえに真偽は不明である。とはいうものの、後一世紀のギリシアの哲学者プルタルコスによれば(『モラリア』八二一D~E)、メナンドロスの死後、遺灰の所有権を巡って争いがおこり、彼を記念する建造物が諸処に建てられたという。この伝説は仏舎利供養とストゥーパ建立を想起させるが、もしもそうだとすれば、両者の対話は単なる対話に終わらず、王の人生の方向を変えた「御者の鞭」となったと言えるだろう。

†おわりに――古典古代のオリエンタリズム

ギリシア思想とインド思想の出会いとその結果は以上のとおりである。歴史的な背景に再度ふれるとすれば、バクトリア付近のギリシア人王朝は相互の戦乱によって少しずつ衰退していった。そして最終的には遊牧民族クシャーンの侵入によって存続をやめるが、その終焉はそれぞれの都市によって異なっていたようである。先に言及したアイ・ハヌムは、前一五〇年前後に放棄されたものの、大規模な戦乱の痕跡を伴ってはいないという報告がされている。

ではギリシア思想はインド思想との接触をやめてしまったのだろうか。もちろん、直接的な接触の機会は上記の理由により、かつてほどなくなってしまっただろう。しかしむしろその故に、インドとその思想はヘレニズム時代からローマ期にかけて、或る種の憧憬をもたらすものだったようである。
後三世紀の新プラトン主義哲学者プロティノスの弟子であるポルフュリオスは、師がエジプトのアレクサンドリアで学んでいた頃、「ペルシア人たちのあいだで実践されている哲学にも、インド人たちのあいだで盛んとなっている哲学にも接してみたいと希望するようになった」と報告している。プロティノスは皇帝ゴルディアヌスの遠征に同道したが、反乱のために望みは叶えられなかった。ではどのような理由が彼を動かしたのだろうか。何の情報もなければ動かないであろうし、情報が十全であれば向かう必要はない。詳細は不明であるがヒントはある。アショーカ王磨崖法勅第一三章後半部分には、王が「仏法」を広めるために地中海の諸王に使節を派遣したという記述があり、「トゥラマイェー（Turamaye）」という名前が見いだせるのである。この人物はアレクサンドリアで図書館建設に携わったプトレマイオス朝の「プトレマイオス二世（Ptolemaios）」と推定される。前二八八〜前二四六年の彼の治世中に使節が届いていたとしたら、断片的とはいえ、当該地域についての一定程度の情報が存在した可能性も考えられる。

さらに詳しく知るための参考文献

森祖道、浪花宣明『ミリンダ王――仏教に帰依したギリシャ人』（新装版、清水書院〔Century Books

人と思想』、二〇一六年）……『ミリンダ王の問い』が成立した経緯、また仏教の歴史の中での位置付けがわかりやすく書かれている。両者の対話についても仏教の基礎的な理論にもとづいて丁寧に解説されている。

『ミリンダ王の問い1・2・3——インドとギリシアの対決』（中村元・早島鏡正訳、平凡社〈東洋文庫〉、一九六三～六四年）……現在までのところ、唯一の完訳。とりわけ第一巻は注と解説の量に圧倒される。仏教思想だけではなく、当時のインドのギリシア人社会にも解説がある。

塚本啓祥『アショーカ王碑文』（第三文明社〈レグルス文庫〉、一九七六年）……インド各地で発見されたアショーカ王磨崖法勅や石柱法勅など、関連碑文の翻訳のみならず、当時のマウリヤ朝の社会制度など、詳細にして簡潔にまとめられている。

渡辺研二『ジャイナ教入門』（現代図書、二〇〇六年）……ジャイナ教について書かれた入門書は少ないが、本書はその中でもとりわけ入念に仕上げられた一冊。成立当時は兄弟のように類似した仏教教理との比較も付され、仏教に関心を持つ人にも一読を薦める。

あとがき

「世界哲学」は、二〇一八年八月に北京で開催された世界哲学会大会（World Congress of Philosophy）に向けて、日本の哲学界が打ち出した理念である。一九〇〇年のパリ大会以来、世界の哲学者が集い議論する場となってきた世界哲学会は、一二〇年ちかい歴史で、いまだ日本で開催されていない。将来その国際学会を招致することを念頭に置きつつ、日本の哲学のあるべき姿として提案したのが、この世界哲学であった。とはいえ、これはすでに出来上がった理念や分野ではなく、私たち日本の哲学者がこれから議論して練り上げていく場（プラットフォーム）であり、それを構築する運動である。世界哲学という視野から日本の哲学を見た時、どのような可能性が見えてくるのか、その試みが始まっている。日本哲学会のワーキング・グループでは、出口康夫氏（京都大学）、河野哲也氏（立教大学）、直江清隆氏（東北大学）らと共に、基本アイデアを練り上げてきた。

「世界哲学」は、すでに二〇一九年度、比較思想学会、中国社会文化学会、日本学術会議の各シンポジウムでテーマにされた。これらの企画は、本シリーズの共編者の中島隆博氏（東京大学）、上原麻有子さん（京都大学）らと共に進めてきた。今後もさまざまな形でプロジェクトを展開し、海外の研究者とも共同研究を進める予定でいる。文字通りの世界哲学になる日も遠くはないと信じている。

「世界哲学」を推進するにあたり、日本が先導すべき具体的プロジェクトとして焦点を当てたのが、「世界哲学史」である。日本では各地域・文化の哲学史研究が充実しており、それらの専門家を糾合して全体像を作り上げることが、世界哲学の基盤となるのではないか。ちくま新書で本格的なシリーズ企画が始まり、古代哲学担当の私、西洋中世哲学の山内志朗氏（慶應義塾大学）、近代・現代哲学の伊藤邦武氏（龍谷大学）、東洋哲学の中島隆博氏と四名で編集方針を検討してきた。本シリーズが日本の哲学研究のあり方を変えるとともに、哲学への一層の関心を惹起することを期待したい。

二〇一九年一一月

第1巻編者　納富信留

編・執筆者紹介

伊藤邦武（いとう・くにたけ）【編者】
一九四九年生まれ。龍谷大学文学部教授、京都大学名誉教授。京都大学大学院文学研究科博士課程単位取得退学。スタンフォード大学大学院哲学科修士課程修了。専門は分析哲学・アメリカ哲学。著書『プラグマティズム入門』（ちくま新書）、『宇宙はなぜ哲学の問題になるのか』（ちくまプリマー新書）、『パースのプラグマティズム』（勁草書房）、『ジェイムズの多元的宇宙論』（岩波書店）、『物語　哲学の歴史』（中公新書）など多数。

山内志朗（やまうち・しろう）【編者】
一九五七年生まれ。慶應義塾大学文学部教授。東京大学大学院人文科学研究科博士課程単位取得退学。専門は西洋中世哲学・倫理学。著書『普遍論争』（平凡社ライブラリー）、『天使の記号学』（岩波書店）、『「誤読」の哲学』（青土社）、『小さな倫理学入門』『感じるスコラ哲学』（以上、慶應義塾大学出版会）、『湯殿山の哲学』（ぷねうま舎）など。

中島隆博（なかじま・たかひろ）【編者・第4章】
一九六四年生まれ。東京大学東洋文化研究所教授。東京大学大学院人文科学研究科博士課程中途退学。専門は中国哲学・比較思想史。著書『悪の哲学——中国哲学の想像力』（筑摩選書）、『荘子——鶏となって時を告げよ』（岩波書店）、『思想としての言語』（岩波現代全書）、『残響の中国哲学——言語と政治』『共生のプラクシス——国家と宗教』（以上、東京大学出版会）など。

納富信留（のうとみ・のぶる）【編者・序章・第1章・コラム2】
一九六五年生まれ。東京大学大学院人文社会系研究科教授。東京大学大学院人文科学研究科修士課程修了。ケンブリッジ大学大学院古典学部博士号取得。専門は西洋古代哲学。著書『ソフィストとは誰か？』『哲学の誕生——ソクラテスとは何者か』（以上、ちくま学芸文庫）、『プラトンとの哲学——対話篇をよむ』（岩波新書）など。

＊

柴田大輔（しばた・だいすけ）【第2章】
一九七三年生まれ。筑波大学准教授。東京大学大学院人文社会系研究科修士課程修了。ハイデルベルク大学大学院哲学部前方アジア言語・文化学科博士号取得。専門は楔形文字学・古代西アジア史学。著書 *Cultures and Societies in the Middle Euphrates and Habur Areas in the Second Millennium BC* 1（編著、Harrassowitz Verlag）、『イスラームは特殊か――古代西アジアの宗教と政治の系譜』（編著、勁草書房）など。

髙井啓介（たかい・けいすけ）【第3章】
一九六八年生まれ。関東学院大学国際文化学部准教授。大学宗教主事。東京大学大学院人文社会系研究科博士課程単位取得退学。イエール大学大学院中近東言語文明学部 Ph. D.。専門は旧約聖書学・宗教史学。著書『霊と交流する人びと――媒介者の宗教史（上・下）』（共編著、リトン）など。

赤松明彦（あかまつ・あきひこ）【第5章】
一九五三年生まれ。京都大学名誉教授。京都大学大学院文学研究科修士課程修了。パリ第3大学博士課程修了（インド学博士）。専門はインド哲学。現在、京都大学白眉センター長。著書『インド哲学10講』（岩波新書）、『書物誕生あたらしい古典入門　バガヴァッド・ギーター』（岩波書店）、『楼蘭王国』（中公新書）など。

松浦和也（まつうら・かずや）【第6章】
一九七八年生まれ。東洋大学文学部准教授。東京大学大学院人文社会系研究科博士課程修了。博士（文学）。専門は西洋古代哲学。著書『アリストテレスの時空論』（知泉書館）、『iHuman――AI時代の有機体-人間-機械』（共著、学芸みらい社）など。

栗原裕次（くりはら・ゆうじ）【第7章】
一九六四年生まれ。首都大学東京人文社会学部教授。東京都立大学人文科学研究科修士課程修了。カリフォルニア大学アーヴァイン校哲学博士号取得。専門は西洋古代哲学・倫理学。著書『イデアと幸福――プラトンを学ぶ』『プラトンの公と私』（以上、知泉書館）、『内在と超越の閾』（共編、知泉書館）など。

稲村一隆（いなむら・かずたか）【第8章】
一九七九年生まれ。早稲田大学政治経済学術院准教授。東京大学大学院総合文化研究科修士課程修了。ケンブリッジ大学大学院古典学部博士号取得。専門は政治哲学・西洋政治思想史。著書 *Justice and Reciprocity in Aristotle's Political Philosophy*（Cambridge University Press）、論文「テクストの分析と影響関係」（『思想』一一四三号）など。

荻原　理（おぎはら・さとし）【第9章】
一九六七年生まれ。東北大学准教授。東京大学大学院人文科学研究科修士課程修了。ペンシルヴァニア大学大学院哲学科博士号取得。専門は西洋古代哲学・現代倫理学。著書『マクダウェルの倫理学』（勁草書房）、*Plato's* Philebus（共著、Oxford University Press）、*Plato's* Phaedo, *Plato's* Philebus（以上共著、Academia Verlag）、*Presocratics and Plato*（共著、Parmenides Publishing）など。

金澤　修（かなざわ・おさむ）【第10章】
一九六八年生まれ。東京学芸大学研究員。東京都立大学人文科学研究科哲学専攻博士号（文学）取得。専門は西洋古代哲学・比較思想。著書『内在と超越の閾』（共編、知泉書館）、『原子論の可能性』（共著、法政大学出版局）、翻訳『アリストテレス　動物誌』（共訳）、『アリストテレス　宇宙について』（以上、岩波書店）など。

篠原雅武（しのはら・まさたけ）【コラム1】
一九七五年生まれ。京都大学大学院総合生存学館特定准教授。京都大学総合人間学部卒業。京都大学大学院人間・環境学研究科博士課程修了。専門は哲学・環境人文学。著書『公共空間の政治理論』『人新世の哲学』（以上、人文書院）、『空間のために』『全-生活論』『複数性のエコロジー』（以上、以文社）、『生きられたニュータウン』（青土社）。

斎藤　憲（さいとう・けん）【コラム3】
一九五八年生まれ。大阪府立大学名誉教授。東京大学大学院理学系研究科博士課程単位取得退学。東京大学理学博士号取得。専門はギリシア数学史。著書『ユークリッド『原論』とは何か』（岩波書店）、『天秤の魔術師アルキメデスの数学』（林栄治と共著、共立出版）、訳書『ピュタゴラス派——その生と哲学』（岩波書店）など。

人名索引

あ行

か行

さ行

た行

な行

や行

ら行

わ行

年表

	エジプト・メソポタミア	ギリシア・ローマ
前6000	前6500〜6000頃　下メソポタミアの居住が始まり、ウバイド文化が起こる	
前5000		
前4000	前4000頃　ナイル川流域に多くの集落・小国家（ノモス）が分立。 前4000頃　下メソポタミアで都市形成が進み、ウルク文化が起こる	
前3000	前3200頃　ウルクで楔形文字の原型が発明される。その後まもなく、エジプト文字も発明される 前3000頃　下メソポタミアに多くの都市国家が建設（ウル、キシュなど）	前3000頃　クレタ島に金石文化起こる（エーゲ文明誕生）
前2000	前2700頃　エジプト古王国成立	前2000頃　ギリシア人の南下始まる
前1800	前19世紀頃　メソポタミアにバビロン第1王朝成立〔-前1595頃〕	
前1700	前1700頃　小アジアにヒッタイト王国成立〔-前12世紀頃〕	前1700頃　クレタ文明（ミノス文明）、最盛期に
前1500	前1500頃　下メソポタミアにカッシート王朝成立〔-前1155〕	
前1400		前1400頃　ミケーネ文明、最盛期に

太字は哲学関連事項

インド	中国	
	前6000頃　黄河流域の黄土地帯に新石器文化始まる	前6000
	前5000頃　仰韶文化（彩陶文化）起こる	前5000
		前4000
	前3000頃　竜山文化（黒陶文化）起こる	前3000
前2600頃　インダス川流域で都市文明が栄える		前2000
		前1800
		前1700
前1500頃　アーリア人、西北インドに移住開始	前16世紀頃　殷王朝が成立する	前1500
		前1400

	エジプト・メソポタミア	ギリシア・ローマ
前 1300	前 1350　上メソポタミアでアッシリア王国、ミッタニより自立	
前 1200	**前 12 世紀頃　『エヌマ・エリシュ』が成立**	
前 1100	**前 11 世紀頃　『ギルガメシュ叙事詩』の「標準版」が成立**	前 1100 頃　ギリシア本土、鉄器時代に
前 1000		前 1000 頃　ギリシア本土から小アジアへ植民開始
前 900	前 934　アッシリア王国による失地再征服の開始	
前 800		前 800 頃　スパルタ（ドーリア人）が国をつくる 前 800 頃　ギリシア人、地中海・黒海沿岸への植民開始〔-前 600 頃〕
前 700	前 722　アッシリア、イスラエル北王国を滅ぼす	前 753　ローマ建国（伝承） **前 700 頃　ホメロス『イリアス』『オデュッセイア』、ヘシオドス『神統記』『仕事と日』の叙事詩が作られる**
前 600	前 671　アッシリア王国、エジプトを征服し、西アジア統一 前 625　新バビロニア王国独立〔-前 539〕 前 612　アッシリア王国滅亡	**前 625 頃　タレス生まれる〔-前 548 頃〕** 前 616 頃　エトルリア系王朝、ローマを支配する〔-前 509〕

インド	中国	
		前1300
前1200頃　『リグ＝ヴェーダ』が成立。ヴェーダ文献が作られ始める		前1200
		前1100
	前11世紀後半　周王武、殷を滅ぼす	前1000
		前900
前800頃　ブラーフマナ文献が成立		前800
	前770　周の東遷。春秋時代始まる	前700
前7世紀頃　ウパニシャッド哲学が成立 前600頃　この頃からヴェーダの補助文献としてスートラ類が作られ始める。ヴェーダ補助学としての祭事学、音韻学、天文学、文法学などが成立し始める	前651　斉の桓公、覇者となる（葵丘の会盟） 前632　晋の文公、覇者となる（践土の会盟）	前600

	エジプト・メソポタミア	ギリシア・ローマ
前500	前586　ユダ王国滅亡。バビロン捕囚〔-前538〕 前550　アケメネス朝ペルシア成立〔-前330〕 前525　ペルシア、エジプトを征服	**前572頃　ピュタゴラス生まれる〔-前494頃〕** 前546頃　アテナイでペイシストラトスが僭主政を確立 前509　ローマで王政廃止。共和制開始
前490	前490　ダレイオス1世、ギリシアに侵攻	前490　第1次ペルシア戦争・マラトンの戦い
前480	前480　クセルクセス、ギリシアに再度侵攻	前480　第2次ペルシア戦争・サラミスの海戦
前470		前477　デロス同盟成立。アテナイの覇権確立
前460		**前469頃　ソクラテス生まれる〔-前399〕**
前430	**前430頃　エズラ、エルサレムでモーセの律法を解説**	前431　ペロポネソス戦争始まる〔-前404〕
前420		**前427　プラトン生まれる〔-前347〕**
前400	**前400　この頃までにモーセ五書（律法）成立**	前404　アテナイ降伏し、ペロポネソス戦争終結
前390		**前399　ソクラテス、不敬罪の罪状で裁判にかけられ、刑死** 前395　コリントス戦争始まる〔-前386〕 前390　ガリア人（ケルト人）、ローマを占領
前380		**前387　プラトン、シケリア（シチリア）に渡航。アテナイに戻って、アカデメイア創設** **前384　アリストテレス生まれる〔-前322〕**

インド	中国	
前6世紀　ガウタマ・ブッダ（釈迦牟尼）生まれる 前549頃　ジャイナ教始祖、ヴァルダマーナ生まれる〔-前477頃〕	前551頃　孔子生まれる〔-前479〕	前500
		前490
前486　第1回仏典結集	前480頃　墨子生まれる〔-前390頃〕	前480
		前470
	前460頃　『論語』成立	前460
		前430
		前420
前400　この頃から叙事詩「マハーバーラタ」の原形が作られ始める	前403　韓・魏・趙が独立し諸侯となり、戦国時代始まる〔-前221〕	前400
	前4世紀頃　荘子生まれる	前390
前386　第2回仏典結集		前380

	エジプト・メソポタミア	ギリシア・ローマ
前 370		
前 360		**前 367　アリストテレス、アカデメイアに入門。プラトン、2 度目のシケリア渡航** **前 360 頃　ピュロン生まれる〔-前 270 頃〕**
前 350		前 356　アレクサンドロス 3 世（大王）生まれる〔-前 323〕
前 340	前 343　エジプト、ふたたびペルシア王国の領土に	**前 347　プラトンが死去し、学園アカデメイアはスペウシッポスが継ぐ** **前 343　アリストテレス、王子アレクサンドロスの教師になる** 前 340　ローマとラテン同盟のあいだにラテン戦争起こる〔-前 338〕
前 330	前 337　ダレイオス 3 世即位〔-前 330〕 前 331　アレクサンドロス、エジプトを征服。アレクサンドレイア建設開始 前 330　アケメネス朝ペルシア王国滅亡	前 338　ギリシア連合軍がカイロネイアの戦いに敗北し、マケドニアが覇権を掌握 前 337　コリントス同盟（ヘラス同盟）成立〔-前 301〕 前 336　アレクサンドロス、マケドニア王に即位 **前 335　アリストテレス、リュケイオン創設** 前 334　アレクサンドロスの東方遠征始まる。
前 320		前 323　アレクサンドロス大王没。ディアドコイ（後継者）戦争が起こり、ヘレニズム時代が始まる〔-前 30 頃〕 **前 322　アリストテレス死去**
前 310		前 312　アッピア街道着工

インド	中国	
	前 370 頃　孟子生まれる〔-前 289 頃〕	前 370
		前 360
前 350 頃　サンスクリット文法の完成者パーニニ生まれる〔-前 300〕	前 359　秦の孝公、商鞅を登用して変法を行う	前 350
		前 340
前 330 頃　チャンドラ・グプタにより初の統一王朝マウリヤ朝が成立		前 330
前 326　アレクサンドロス大王、インド・パンジャーブ地方に到達		前 320
		前 310

	エジプト・メソポタミア	ギリシア・ローマ
前300	前305　プトレマイオス朝エジプト建国 前305　セレウコス朝シリア建国 前301　イプソスの戦い（マケドニア分裂）	**前307頃　サモスのエピクロス、アテナイ郊外に「庭園」を開く** **前300頃　キティオンのゼノン、アテナイの彩色柱廊で教え始める**
前290		
前280	**前285以後　おそらくプトレマイオス2世の治下で、アレクサンドリア図書館が創設**	前280　アカイア同盟成立〔-前146〕
前270		前272　ローマによるイタリア半島統一
前260		**前265　アカデメイアでアルケシラオスが学頭となり、懐疑主義に転向** 前264　第1次ポエニ戦争〔-前241〕
前250	**前3世紀半ば頃　「七十人訳聖書」の翻訳始まる。旧約聖書成立へ**	
前240	前247　アルサケス1世、パルティア王国建国 前241　ペルガモン王国建国	前241　ローマ、シチリアを領有
前230		
前220		
前210		前218　第2次ポエニ戦争（ハンニバル戦争）〔-前201〕 前215　第1次マケドニア戦争〔-前205〕 前214　シチリア戦争〔-前210〕

インド	中国	
	前300頃　郭店一号楚墓の造営時期	前300
	前298頃　荀子生まれる〔-前235頃〈諸説あり〉〕	前290
		前280
	前278　秦の将軍白起、楚の都の郢を攻略。楚は陳に遷都。	前270
前268頃　アショーカ王即位 **アショーカ王は仏教理念を碑文に刻ませ、アフガニスタンではギリシア語も並記される**		前260
	前256　秦が周を滅ぼす	前250
前244　第3回仏典結集		前240
	前233　韓非子、没	前230
	前221　秦王の嬴政、天下を統一し、始皇帝を称す。貨幣・度量衡・文字などを統一。	前220
	前213　医療・農業・卜占以外の書物が焼き払われる（焚書）。挟書律の制定 前212　咸陽で数百人の学者が坑埋めにされる（坑儒）	前210

	エジプト・メソポタミア	ギリシア・ローマ
前200		前200　第2次マケドニア戦争〔-前197〕
前190		
前180		
前160		前168　マケドニア王国滅亡
前150		**前155　アカデメイア学頭カルネアデスらがローマで弁論や講義を行い、人々を魅了**
前140		前149　第3次ポエニ戦争〔-前146〕 前146　ローマによるカルタゴ、マケドニア、ギリシア領有
前130		前133　ローマによるヒスパニア、ペルガモン領有
前100		**前106　キケロ生まれる〔-前43〕**
前90		

インド	中国	
前200頃　聖典「バガヴァッド・ギーター」の原形成立	前209　陳勝・呉広の乱〔-前208〕 前209　項羽・劉邦の挙兵〔-前208〕 前206　秦王の子嬰、劉邦に降伏。秦滅ぶ 前202　垓下の戦いで劉邦が項羽を破り、前漢が成立	前200
	前191　挟書律の廃止	前190
前180頃　マウリヤ朝が滅び、シュンガ朝が成立		前180
		前160
前150頃　文法学者パタンジャリ「大注解書」を著す **前150頃　この頃から諸哲学派が成立してくる**	前154　呉楚七国の乱	前150
前150頃～前130頃　バクトリアでメナンドロス王が統治。『ミリンダ王の問い』のモデル		前140
	前136　董仲舒の献策で、五経博士が置かれる	前130
前1世紀頃　サータヴァーハナ朝、南インドに成立		前100
	前97　司馬遷『史記』成立	前90

ちくま新書
1460

世界哲学史《せかいてつがくし》1
——古代《こだい》Ⅰ　知恵《ちえ》から愛知《あいち》へ

二〇二〇年一月一〇日　第一刷発行
二〇二〇年二月二五日　第三刷発行

編者　伊藤邦武（いとう・くにたけ）
山内志朗（やまうち・しろう）
中島隆博（なかじま・たかひろ）
納富信留（のうとみ・のぶる）

発行者　喜入冬子
発行所　株式会社　筑摩書房
東京都台東区蔵前二-五-三　郵便番号一一一-八七五五
電話番号〇三-五六八七-二六〇一（代表）
装幀者　間村俊一
印刷・製本　株式会社　精興社

ISBN978-4-480-07291-7 C0210

ちくま新書

1165 プラグマティズム入門 伊藤邦武
これからの世界を動かす思想として、いま最も注目されるプラグマティズム。アメリカにおけるその誕生から最新の研究動向まで、全貌を明らかにする入門書決定版。

1060 哲学入門 戸田山和久
言葉の意味とは何か。私たちは自由意志をもつのか。人生に意味はあるか……こうした哲学の中心問題を科学が明らかにした世界像の中で考え抜く、常識破りの入門書。

1322 英米哲学入門 ――「である」と「べき」の交差する世界 一ノ瀬正樹
夢と現実って本当に区別できるの？　この世界に実は因果関係なんて存在しない？　哲学の根本問題を経験や言語を足場に考え抜く、笑いあり涙あり（？）の入門講義。

545 哲学思考トレーニング 伊勢田哲治
哲学って素人には役立たず？　否、そこは使える知のツールの宝庫。屁理屈や権威にだまされず、筋の通った思考を自分の頭で一段ずつ積み上げてゆく技法を完全伝授！

482 哲学マップ 貫成人
難解かつ広大な「哲学」の世界に踏み込むにはどうしても地図が必要だ。各思想のエッセンスと思想間のつながりを押さえて古今東西の思索を鮮やかに一望する。

901 ギリシア哲学入門 岩田靖夫
「いかに生きるべきか」という問題は一個人の幸福から「正義」への問いとなり、共同体＝国家像の検討へつながる。ギリシア哲学を通してこの根源的なテーマに迫る。

832 わかりやすいはわかりにくい？ ――臨床哲学講座 鷲田清一
人はなぜわかりやすい論理に流され、思い通りにゆかず苛立つのか――常識とは異なる角度から哲学的に物事を見る方法をレッスンし、自らの言葉で考える力を養う。

ちくま新書

301
アリストテレス入門
山口義久
論理学の基礎を築き、総合的知の枠組をつくりあげた古代ギリシア哲学の巨人。その思考の方法と核心に迫り、知の探究の軌跡をたどるアリストテレス再発見！

589
デカルト入門
小林道夫
デカルトはなぜ近代哲学の父と呼ばれるのか？　行動人としての生涯と認識論・形而上学から自然学・宇宙論におよぶ壮大な知の体系を、現代の視座から解き明かす。

029
カント入門
石川文康
哲学史上不朽の遺産『純粋理性批判』を中心に、その哲学の核心を平明に読み解くとともに、哲学者の内面のドラマに迫り、現代に甦る生き生きとしたカント像を描く。

1182
カール・マルクス
――「資本主義」と闘った社会思想家
佐々木隆治
カール・マルクスの理論は、今なお社会変革の最強の武器であり続けている。最新の文献研究からマルクスの実像に迫ることで、その思想の核心を明らかにする。

008
ニーチェ入門
竹田青嗣
新たな価値をつかみなおすために、今こそ読まれるべき思想家ニーチェ。現代の我々をも震撼させる哲人の核心に大胆果敢に迫り、明快に説く刺激的な入門書。

020
ウィトゲンシュタイン入門
永井均
天才哲学者が生涯を賭けて問いつづけた「語りえないもの」とは何か。写像・文法・言語ゲームと展開する特異な思想に迫り、哲学することの妙技と魅力を伝える。

071
フーコー入門
中山元
絶対的な〈真理〉という〈権力〉の鎖を解きはなち、〈別の仕方〉で考えることの可能性を提起した哲学者、フーコー。一貫した思考の歩みを明快に描きだす新鮮な入門書。

ちくま新書

081
バタイユ入門
酒井健
西欧近代への徹底した批判者でありつづけた「死とエロチシズム」の思想家バタイユ。その豊かな情念に貫かれた思想を明快に解き明かす、若い読者のための入門書。

200
レヴィナス入門
熊野純彦
フッサールとハイデガーに学びながらも、ユダヤの伝統を継承し独自の哲学を展開したレヴィナス。収容所体験から紡ぎだされた強靭で繊細な思考をたどる初の入門書。

277
ハイデガー入門
細川亮一
二〇世紀最大の哲学書『存在と時間』の成立をめぐる謎とは？　難解といわれるハイデガーの思考の核心を読み解き、西洋哲学が問いつづけた「存在への問い」に迫る。

1229
アレント入門
中山元
生涯、全体主義に対峙し、悪を考察した思想家ハンナ・アレント。その思索の本質を『全体主義の起原』『イェルサレムのアイヒマン』などの主著を通して解き明かす。

666
高校生のための哲学入門
長谷川宏
どんなふうにして私たちの社会はここまできたのか。「知」の在り処はどこか。ヘーゲルの翻訳で知られる著者が、自身の思考の軌跡を踏まえて書き下ろす待望の書。

1416
ハンナ・アーレント
——屹立する思考の全貌
森分大輔
激動の現代史において全体主義や悪と対峙し続けたユダヤ人思想家・アーレント。その思索の全貌を、哲学・政治・思想の各視点から七つの主著を精読し明らかにする。

776
ドゥルーズ入門
檜垣立哉
没後十年以上を経てますます注視されるドゥルーズ。哲学史的な文脈と思想的変遷を踏まえ、その豊かなイマージュと論理を読む。来るべき思想の羅針盤となる一冊。

ちくま新書

1272
入門　ユダヤ思想
合田正人
世界中に散りつつ一つの「民族」の名のもとに存続するユダヤ。居場所とアイデンティティを探求するその英知とは？　起源・異境・言語等、キーワードで核心に迫る。

1334
現代思想講義
――人間の終焉と近未来社会のゆくえ
船木亨
自由な個人から群れ社会へ。その転換を6つの領域――人間・国家・意識・政治・道徳・思考――で考察。ＡＩ化やポピュリズムで揺れ動く人類文明の行く末を探る。

1119
近代政治哲学
――自然・主権・行政
國分功一郎
今日の政治体制は、近代政治哲学が構想したものだ。ならば、その基本概念を検討することで、いまの民主主義体制が抱える欠点も把握できるはず！　渾身の書き下し。

944
分析哲学講義
青山拓央
現代哲学の全領域に浸透した「分析哲学」。言語のはたらきの分析を通じて世界の仕組みを解き明かすその手法は切れ味抜群だ。哲学史上の優れた議論を素材に説く！

964
科学哲学講義
森田邦久
科学的知識の確実性が問われている今こそ、科学の正しさを支えるものは何かを、根源から問い直さねばならない！　気鋭の若手研究者による科学哲学入門書の決定版。

1409
不道徳的倫理学講義
――人生にとって運とは何か
古田徹也
私たちの人生を大きく左右するにもかかわらず、倫理学では無視されがちな「運」をめぐる是非。それらの議論を古代から現代までたどり、人間の生の在り方を探る。

893
道徳を問いなおす
――リベラリズムと教育のゆくえ
河野哲也
ひとりで生きることが困難なこの時代、他者と共に生きるための倫理が必要となる。「正義」「善悪」「権利」とは何か？　いま、求められる「道徳」を提言する。

ちくま新書

1079
入門　老荘思想
湯浅邦弘
俗世の常識や価値観から我々を解き放とうとする「老子」と「荘子」の思想。新発見の資料を踏まえてその教えをじっくり読み、謎に包まれた思想をいま解き明かす。

990
入門　朱子学と陽明学
小倉紀蔵
儒教を哲学化した朱子学と、それを継承しつつ克服しようとした陽明学。東アジアの思想空間を今も規定するその世界観の真実に迫る、全く新しいタイプの入門概説書。

1292
朝鮮思想全史
小倉紀蔵
なぜ朝鮮半島では思想が炎のように燃え上がるのか。古代から現代韓国・北朝鮮まで、さまざまに展開されてきた思想を霊性的視点で俯瞰する。初めての本格的通史。

1099
日本思想全史
清水正之
外来の宗教や哲学を受け入れ続けてきた日本人。その根底に流れる思想とは何か。古代から現代まで、この国のものの考え方のすべてがわかる、初めての本格的通史。

1343
日本思想史の名著30
苅部直
古事記から日本国憲法、丸山眞男『忠誠と反逆』まで、日本思想史上の代表的名著30冊を選りすぐり徹底解説。人間や社会をめぐる、この国の思考を明らかにする。

1287-1
人類5000年史Ⅰ
――紀元前の世界
出口治明
人類五〇〇〇年の歩みを通読する、新シリーズの第一巻、ついに刊行！　文字の誕生から知の爆発の時代まで紀元前三〇〇〇年の歴史をダイナミックに見通す。

1287-2
人類5000年史Ⅱ
――紀元元年～1000年
出口治明
人類史を一気に見通すシリーズの第二巻。漢とローマ二大帝国の衰退、世界三大宗教の誕生、陸と海のシルクロード時代の幕開け等、激動の1000年が展開される。